幕末　日本近代化の夜明け前

幕末

日本近代化的黎明前

洪維揚——著

BAKUMATSU
THE END OF THE EDO PERIOD

第1部　幕末各方勢力簡介

1.

推薦序

歷史是現在與過去的無休止對話

歷史學者、廣播・電視評論者及主持人　胡忠信

二〇一八年是明治維新一百五十週年，日本政府與民間，中央到地方，全力推動各項紀念活動及研討會，相關出版品也如雨後春筍般出現。毫無疑問，明治維新是亞洲國家近代化的先驅，與同時期的中國「洋務運動」相比，一八九四年的甲午戰爭、馬關條約，已經決定了中、日兩國近代化進程的優勝劣敗。然而，由於中日兩國的「百年世仇」，尤其是第二次世界大戰的戰禍，中國人（不管是國民黨或共產黨）一直以「仇日」、「恨日」、「批判右翼軍國主義」的「後設歷史」看待日本近代史，到底幕末維新的歷史進程是什麼？迄今一直沒有權威性的中文著作出現。

近年以來，一群年輕優秀的文史工作者、出版編輯展現了不偏不倚求取真相的道德勇氣，大量譯介美國、英國、日本有關的明治維新著作，為台灣的閱聽大眾注入一股新鮮空氣。我在中廣所主持的《新聞大解讀》，率先在訪談節目中邀請歷史、政治、文學專家或出版編輯，持續探討近代日本史，對明治維新做了全方位的探討。後來我又在民視《新聞大解讀》多次推出「明治維新一百五十週年」專題，廣邀各方先進解析，這是最有意義的公民人文素養教育。

所可惜者，我一直找不到以台灣當代觀點詮釋明治維新的中文著作。畢竟一八九五年至一九四五年五十年期間，不少「幕末維新」人士曾經來台灣擔任重要軍政職務；而明治政府早期的「征韓論」路線之爭，更衍發出「征台論」的牡丹社事件，大久保利通為此還赴北京談判，從此深深影響了中國、日本、朝鮮、台灣的牽連互動。由於國、共兩黨主導下的歷史教育完全抹煞日本近現代史的課程，即使台灣人也對明治維新所知有限，更遑論德川幕府末期的歷史。

洪維揚先生是一位好學深思、廣博閱讀的新銳歷史學者。我結識他於中廣《新聞大解讀》訪談節目，只要是日本歷史、文化的優質好書，我都請洪先生來分享讀書心得。洪維揚先生所撰述的《日本戰國梟雄錄》，我都邀請他來介紹「戰國史」這個「新顯學」。後來洪先生把他的治學、研究、著述範圍擴大，又出版《一本就懂日本史》、《日本神話故事》，我也一一加以訪談介紹。

正如日本漢學、陽明學大師安岡正篤所言，日本史最值得稱道及研究的就是「戰國史」以及「幕末．維新史」。在一個歷史變動時代，人才必然輩出，英雄與時事相互造就。但對一個研究者、撰述者而言，也是一個極度挑戰的超越顛峰的心靈考驗。遠足文化以及洪維揚先生有此雄心壯志，希望在日文、英文為主的著作之外，重新以當代人觀點，詮釋「幕末．維新史」，有助於歷史話語權的建構；不要忘了台灣在日本統治之下正是明治維新後海外擴張的第一個殖民地，也是現代化的實驗地區。有了「幕末．維新史」的建構，更有助於近代台灣史的理解。「歷史記憶」以及「文化再現」，正是目前台灣知識界最迫切的需求；尤其是中學歷史課綱是以台灣史、東亞史為切入點，洪維揚先生的研究及著作，對史學界、中學教師以及莘莘學子，正提供了最好的延伸閱讀。

英國歷史家愛德華．卡爾說：「歷史是現在與過去之間永無休止的對話。」法國歷史家馬克．布洛克說：「不是我在說，是歷史在說。」我特別引述這兩位歷史大師的觀點來詮釋洪維揚先生的用心及努力。我不必在「幕末維新」的歷史進程多所著墨，就請讀者自己閱讀思考，我相信你能體悟英國思想家法蘭西斯・培根的名言：「讀史使人聰明。」

推薦序

幕末、明治維新的光與影

國立交通大學通識教育中心教授　楊永良

今年（二〇一八年）正逢明治維新之後一百五十年，日本政府為了展開明治一百五十年紀念活動，乃設立紀念設施推動室，並表明要「學習明治的精神，重新認識日本的強項」。明治維新使日本一躍而成世界強國，並鼓舞了很多弱小國家。至今仍有很多日本人認為日本國力大不如前，現在需要的正是明治維新的氣魄與精神。然而明治維新就只有好的一面嗎？

從前國人對於明治維新的介紹，總是偏向明治政府如何學習西方文化，成為世界列強，對於明治維新的負面部分很少提及。例如明治政府為了打擊外來宗教（主要是基督教與佛教），不惜禁止基督教，並到長崎的浦上天主堂逮捕一百一十四名領導人物，接著又逮捕一般基督徒與家屬共約四千人，分別關在各藩國的監獄。對於佛教則是展開「廢佛毀釋」行動，總共廢掉一千六百三十餘佛寺，將梵鐘與大佛鑄成大砲。這些行動讓人聯想到中國的文化大革命，至今鹿兒島縣（前薩摩藩領）的佛寺與其他地區相比極為稀少，可見當時的破壞最為劇烈。

此外，對於明治維新成功的原因，從前的觀點往往拿日本與中國比較，認為中國敗在慈禧太后的顢頇無能。固然這是很重要的原因，但是我們從全世界的角度來看，其實當時除了歐美列強外，又有幾個國家近代化成功呢？明治維新之所以成功，因素很多，但不可不考慮到江戶時代打下的基礎，例如江戶時代末期的識字率已經不輸給歐洲各國，還有本書作者所提到的幕末的各種政治改革。

日本歷史原本就很難懂，尤其是戰國時代與幕末至明治維新這二個時期，更是千頭萬緒，錯綜複雜，很難令人理出頭緒出來。作者洪維揚卻從這二個最複雜的地方下手。而且一般人總認為，將複雜的地方簡化之後會更容易理解，其實不然。有些複雜的地方，為了還原真相，詳細深入的介紹會比簡化更容易讓人理解。

我們先從明治維新的遠因看起。十八世紀後半，英國發生工業革命。之後，這工業革命波及到歐洲各國及美國。到了十九世紀，為了銷售大量的工業產品及購買原料，歐美各國開始進出亞洲。美國、俄國、英國都想利用日本當作食物與物資的補給站而要求日本開國。有鑒於此，德川幕府乃發出《異國船驅逐令》。

一八四〇年清國在鴉片戰爭敗北之後，被迫開了五個港口。德川幕府得知此消息後，害怕重蹈覆轍，旋即於一八四二年廢除《異國船驅逐令》，另一方面在今東京都板橋區進行大砲的實彈射擊與步兵演習。接著一八四四年荷蘭國王也寄信到長崎，然被幕府拒絕接收。一八四六年美國東印度艦隊長官比竇(James Biddle)率領二艘軍艦來到浦賀要求日本通商。又被幕府拒絕。歷史教科書上寫的明治維新之開端——美國培里司令率領「黑船」來到浦賀要求日本開國，乃是七年後的事情。

因此，要理解幕末到明治維新的過程，一定要對當時的世界局勢有所瞭解，另一方面又要對江戶時代的體制非常收熟悉。本書作者在撰寫本書時，不但以寬廣的視野來敘述幕末到明治維新的過程，而且對讀者的服務可謂面面俱到。

作者對日本地名、官名、以及各種專有名詞(例如獄門、引直衣、陣羽織、大御所、紫宸殿、女御、問屋、廻船問屋、虛無僧等）都有詳盡明確的解釋，讀者可以在最短的時間正確瞭解日本的專有名詞。作者除了以淺顯的詞彙解釋專有名詞之外，也對一般讀者容易誤解的地方加以提醒。例如很多人認為「松下村塾」是吉田松陰創立的，作者特別提醒說，這是由玉木文之進所創設的私塾。

作者不僅從文獻來撰寫，他更以讀者熟悉的的媒體來穿插輔助文字的敘述。例如作者隨時提到電影《櫻田門外之變》（桜田門外ノ変），NHK大河劇《新選組！》、《篤姫》、《龍馬傳》、《宛如飛翔》（翔ぶが如く），幕末啟蒙漫畫《硬漢龍馬！》，司馬遼太郎的小說《龍馬行》、《幕末》，有吉佐和子《和宮樣御留》（改編同名電視連續劇），小說及電影的《大菩薩峠》等等。

難能可貴的是，本書作者在第一部便提到近年來日本對幕末及明治維新有全新的觀點。保阪正康（與半藤一利共著）在《賊軍的昭和史》（賊軍の昭和史，二〇一五）中提到，明治維新以來，日本的歷史教育就是由「薩長史觀」所主導，所謂「薩長史觀」就是認為勝方的薩摩藩（鹿兒島縣）與長州藩（山口縣）是開明派，同時也是正義的一方；挺舊幕府的一方則是守舊派，也是惡的一方。然而事實並非如此，幕末的幕府其實提出很實際的開國政策與近代化政策，相反的，薩長高揭攘夷口號，待奪取政權後卻又遽然轉向開國。

原田伊織與小島毅皆又進一步指出，幕末的志士以現代的話來說就是恐怖分子，他們想以暴力改變世界，只要有與自己想法相左的政治家，他們就格殺勿論。吉田松陰的得意弟子久坂玄瑞唆使長州藩襲擊京都御所，槍炮口竟然對著天皇（「禁門之變」），完全與自己倡導的尊皇主義相違背。原田伊織甚至還說，吉田松陰在《幽囚錄》中提到要將琉球、朝鮮、滿洲、臺灣、呂宋全部收編在日本版圖之　，因此他說，吉田松陰可以說是主張侵略亞洲的侵略主義者。

幕末至明治維新仍有諸多可以深入探討的地方，例如在本書第三部「幕末諸隊團體簡介」中提到的新選組，其隊員以近藤勇、土方歲三、沖田總司最為著名。在一八六四年六月五日的池田屋事件中，近藤勇等數人襲擊長州藩與土佐藩等二十餘名尊王攘夷派份子，在此役中，新選組的劍術一舉成名。另一方面，由於新選組追隨著幕府，最後走向滅亡的道路，所以被認為是武士中的武士，同時也是一支傳統守舊的隊伍。

然而大石學指出，新選組的隊員乃是由從東北到九州的志願人士所組成的，他們的出身有武士、浪人、農民、商人、工人、醫生、僧侶等。隊員的薪資體系不是依照江戶時代的身分制度，而是依照組織的階級來支薪的。此外，京都的新選組每天要訓練大砲射擊。而且近藤勇被新政府軍逮捕時，被沒收了三門大砲、一百一十八支槍，從此看來，可以說是每個隊員都配置一把槍。因此新選組與其說是劍士集團，不如說是鐵砲隊。不僅如此，新選組還具備全體隊員必須遵守的法律、公印，以及會計的帳簿等。所以新選組是一個比幕府或各藩國更近代化的組織。不僅新選組如此，高杉晉作的奇兵隊與坂本龍馬的海援隊也是超越身份與地區的集團。

作者在這麼繁雜的背景之下，能夠廣搜文獻，有條不紊地敘述；同時又攫取新學說，盡量不落入固定的歷史觀；另一方面又體貼讀者，列舉常見的大河劇、電影等來輔助說明。從作者的寫作風格來看，可謂具有歷史小說大師司馬遼太郎的文風。

幕末

目次

第二章　親藩・譜代部分

第三章 外樣部分

序章

一、幕末・維新的起迄年代

幕末・維新是日本歷史上的重要時期，足可與七世紀的大化改新、十二世紀末源賴朝建立武家政權並稱為日本史上的三大變革。

三大變革中只有幕末・維新為時最短，從字面上來看即可知是幕末加上維新兩個時期並稱。一般而言，以嘉永六（一八五三）年六月三日培理率領四艘黑船出現在江戶灣為始，到慶應三（一八六七）年十二月九日朝議決定發布「王政復古大號令」為止，共十四年半。

已故遠山茂樹教授在其著作《明治維新》中提到：

明治維新之前三十年，在十九世紀三、四十年代天保年間的政治過程中，已經形成明治維新政治本質的原型。……

遠山教授認為天保期間在封建支配動搖、甚至崩壞的過程中出現新的動向，農民、市民的布爾喬亞（bourgeoisie，意為資產階級）民主主義革命鬥爭首次在日本本土萌芽，而為對抗此種情形，封建統治階級為強行維持封建統治做出努力。

遠山教授也提出天保十二（一八四一）年水野忠邦老中首座主持的天保改革（與十八世紀初享保改革、十八世紀末寬政改革並稱幕府三大改革）可視為幕末的開端，因而將幕末的起始時間提前至天保十二年五月，幕末便從通說的十四年半延伸為二十六年半。

至於維新方面，慶應三（一八六七）年十二月九日稍晚的小御所會議議決德川慶喜必須辭官納地，埋下不到一個月後鳥羽・伏見之戰的導火線，可視為維新之始；明治十（一八七七）年九月廿四日維新第一元勳西鄉隆盛在鹿兒島城山切腹（亦有遭薩軍狙擊而死等種種說法）結束西南戰爭，為維新畫下句點。

之所以將西南戰爭平定定義為維新的結束，可引用《明治維新》之言：

……在於西南之役的終結，意味著明治維新的主體勢力倒幕派之政治生命結束。到此時為止政治過程的一貫法則，皆是幕末政治史的延長。……

換言之，遠山教授以西南之役的平定作為維新的結束是著眼於明治前十年儘管已經改朝換代，並以太政官[1]主政，但在政治過程上依舊是幕末政治史的延長。因此一般以西南戰爭平定作為維新的結束是認定之後在政治上才算是與幕府時代——依遠山茂樹教授的說法為絕對主義形成的過程——完成切割，真正進入新的時代。

不過，近來的書籍以明治十一（一八七八）年5月14日作為維新結束的傾向逐漸增多。因為這一天內務卿大久保利通在上班途中，於紀尾井坂（東京都千代田町紀尾井町清水谷公園）遭到以島田一郎為首的六名石川縣士族的暗殺，當日去世。

由於木戶孝允在西南戰爭期間的五月廿六日病故，西鄉也在西南戰爭結束前切腹，再

1　太政官：明治初年權力的核心機關，廢藩置縣後由正院、左院、右院組成。正院由太政大臣、左右大臣及參議組成，是最重要的權力機構。左院相當於今日的立法機關，但在當時不太受到重視。右院相當於今日的行政機關，細分為民部、大藏、兵部、刑部、宮內、外務六省，各省長官為卿，次官為大輔、少輔。

加上大久保遭到暗殺，「維新三傑」全部殞落，結束維新元勳的第一世代，故以此作為維新的結束似乎更具說服力。

若依遠山教授的主張，幕末・維新時期一共為期約三十六年半（一八四一年五月至一八七七年九月）。若從黑船事件算起則有二十四年多（一八五三年六月至一八七七年九月），不過筆者在本系列「幕末・維新史」界定的年代斷限為上起黑船事件，下迄紀尾井坂之變（利通暗殺），歷時約為二十五年。

此為期約二十五年的幕末・維新史，筆者再細分為以下三個階段：

（一）幕末：嘉永六年六月三日培理率領四艘黑船出現在江戶灣，到慶應三年十二月九日朝議決定發布「王政復古大號令」為止。

（二）戊辰戰爭：慶應四年一月三日起進行的鳥羽・伏見之戰到明治二年五月十八日箱館戰爭結束。

（三）御一新：明治二年六月十七日准許版籍奉還到明治十一年5月14日利通暗殺，為全系列作結。

二、章節簡介

本書《幕末：日本近代化的黎明前》為「幕末・維新史」系列的第一部作品，內容分為四部分。

第一部分「幕末各勢力簡介」，介紹幕末時期的皇室・皇族、公卿中家格最高的攝關家以及與幕末歷史息息相關的諸藩，諸藩依其性質可分為親藩・譜代的紀伊、水戶、越前、會津、彥根以及外樣的薩摩、長州、土佐、佐賀(肥前)。皇室・皇族及公卿的部分敘述較為簡略，重點擺在九個親藩・譜代及外樣諸藩上。在漫長的江戶時代中實在難以面面俱到，故僅談及與幕末歷史進展有關的部分，不相關的部分則予以割愛。

第二部分「幕末歷史發展」是本書的主軸，從黑船事件起到「王政復古大號令」，筆者針對期間十四年半的幕末政局發展及演變加以論述。日本在黑船事件後如何在開國及攘夷的抉擇中做出決定，從之後的歷史來看日本雖選擇了開國，但是在當時選擇開國並非理所當然的決定，過程中也並非一帆風順。

幕府不想獨自承擔簽訂條約的責任，而向外國使節推託說必須得到天皇得到的敕許才行。幕府此舉原本是想減緩來自外國使節的壓力，然而無形中卻抬高天皇的地位，讓外國使節明瞭原來天皇才是手握最後決定權的人。面對遲遲不肯敕許的天皇，甫為幕府推派的大老井伊直弼逕自與美、荷、俄、英、法五國簽訂內容大致一致的修好通商條約，統稱《安政五國條約》。

井伊大老的獨斷招致各方非難，而他為平息反對聲浪祭出安政大獄，重創井伊大老的政敵一橋派，讓攘夷志士噤若寒蟬。然而過於嚴苛的處分最終招致殺生之禍，不僅井伊大老本人橫死，幕府的聲望也隨之江河日下。接替的老中首座勢必要改變井伊大老的獨斷作風，同時也得修補與朝廷關係，而為修補關係恐怕還得做出一定程度的讓步才行，於是接替的安藤信正老中首座向天皇請求讓皇妹和宮親子內親王降嫁關東，此即公武一合（公武合體派）。

歷經一番曲折，和宮在各藩藩兵護送下平安抵達關東，但皇妹降嫁關東的消息卻惹怒攘夷志士，憤怒的攘夷志士在江戶城下刺傷安藤老中首座，幕府的威望又再一次遭受嚴重的打擊。

此階段的敘述主體對象開始由幕府轉向外樣諸藩，在七、八兩章分別談及主張公武一合的薩摩藩及攘夷的長州、土佐二藩在櫻田門外之變後的動向。值得一提的是薩摩藩和土佐藩在前後不到四個月內，各自以保護敕使之名東下江戶。儘管薩摩藩和土佐藩是出於不同的目的東下江戶，在一定程度上均達到他們的目的。

而回應薩摩藩主之父島津久光東下的，是將軍家茂的上洛，這是幕府自三代將軍家光之後歷時二百多年的首度上洛。家茂上洛後被迫決定攘夷的日期，這次上洛等於同時滿足公武合體派及攘夷派的要求，此後將軍上洛成為常態。

文久二（一八六二）年到文久三年上半年間，朝廷裡同時存在公武合體派及攘夷派，兩派都想打倒對方、獨佔天皇的信任，終於在「八．一八政變」分出高下，攘夷派的朝廷公卿及攘夷勢力長州、土佐二藩都遭受逐出京都的處分。原本預定的攘夷行動隨著政變在準備不充分的情形下草草發動，旋即遭到平定。「八．一八政變」後京都政局最大的改變為「一會桑體制」的確立，所謂的一會桑即是在京都的小幕府，主要成員一（一橋慶喜）、會（松平容保）、桑（松平定敬）皆出身親藩，打破以往只有譜代才能參與幕政的慣例。

被逐出京都的長州仍堅持攘夷，為此險些付出滅藩的代價，長州和先前因攘夷而與英國交戰的薩摩，都在歷經戰爭後見識到歐美列強的強盛，不約而同地廢除難以實現的攘夷路線。

如此一來，薩長的合作已有基礎，剩下要克服的是長州對薩摩的怨恨，這必須由薩摩、長州之外的外人來促成，完成這一關鍵同盟的人物為土佐出身的坂本龍馬。

第十四章起內容以締結同盟後的薩長為主角，以倒幕勢力的凝聚為主線，在四境戰爭、大政奉還等重大事件後，任誰都能看出幕府的傾倒只是時間的問題，最後在「王政復古大號令」頒布後結束這一部分的歷史爬梳。

第三部分「幕末諸隊．團體簡介」著墨在第二部分鮮少談及的內容，作為第二部分之補充，針對一般大眾較感興趣的新選組、奇兵隊、海援隊．陸援隊、江戶三大道場、幕末四大人斬等動漫或戲劇熱門的主題予以論述，有鑑於學術書籍較少觸及這部分，筆者從部分野史及戲劇的角度切入、輔以接近野史的筆調，為對這部分感興趣而了解不深，或完全不了解的讀者進行介紹。

第四部分「在日外國人與日本女性簡介」介紹活躍於幕末時期的外國人及女性，筆者挑選的外國人除葛拉博外幾乎都是外交官，聚焦介紹他們生涯中與日本交集的部分。至於女性的介紹與第三部分相似，都是史籍甚少提及的區塊，所能參考的書籍較為有限。

三、薩長史觀

二〇一七年九月，東洋經濟新報社出版一本名為《薩長史觀的真面目——揭發歷史的偽裝，還原真實》（薩長史観の正体―歴史の偽装を暴き、真実を取り戻す）的歷史書，該書的作者日本歷史宗教研究所所長武田鏡村在前言提到：

> 何謂「薩長史觀」？明治政府成立時為了正當化而創造出來的歷史。薩摩和長州從幕末到明治維新期間進行的謀略、謀反、暴虐、殺戮、掠奪、強姦等等，為隱蔽所有的犯罪行為而創造出充滿「欺瞞」的歷史觀。……

百餘年來薩長史觀成為幕末．維新史的主流，隱蔽住不少真相，令人霧裡看花。好在戰後有愈來愈多類似《薩長史觀的真面目》的書籍藉由種種資料（未必都是史料）逐漸還原幕末．維新史的真相——薩長志士未必都是神聖崇高，幕閣、幕臣也未必都是顢頇無能。

因此筆者在本書一方面破除薩長史觀的神話，還原其原本的面貌；另一方面則肯定幕府在幕末的作為，如幕末三次改革的成果以及培育出的人才均為明治初年的日本帶來的貢獻，這在薩長史觀下的書籍幾乎是略而不談，然而如果沒有這些改革，日本明治維新的成果恐怕不會那麼快（日本最負盛名的東京大學，與幕末最初的安政改革大有關連），因此本書中有不少肯定幕末時期幕府作為、高度評價幕閣及幕臣的文字。

不過筆者倒也不是為反薩長史觀而反，對於薩長及土佐志士，亦盡量秉持公正的立場看待，身為外國人的筆者能較不囿於既定立場且在旁觀者清的情形下還原較為客觀的原貌，這或許是本書與日本人所著書籍的較大不同之處。

本書中出現的日期有用中文數字以及阿拉伯數字兩種方式標示，日本在明治五（一八七二）年十二月三日以前使用日本慣用的和曆（包括貞享曆、寶曆曆、寬政曆、天保曆等日本人發明的曆法），在此之前在日本國內發生之事皆採用日本的曆法，以國字表示；遇上國際要事或是介紹外國人物（如第四部份）則以通行國際社會的格列高里曆（Gregorian calendar）表示。至於年齡，日本人以虛歲計算，外國人物則以實歲。

1.

第1部

幕末各勢力簡史

〈頼朝公参内之図〉——國立國會圖書館所藏

第一章

江戶時代以降的朝廷、公卿

慶長二十（一六一五）年五月七日大坂夏之陣結束後，終結自應仁之亂以來將近一百五十年的戰亂。七月十三日改元為「元和」，為鞏固幕府的統治，七月起有「黑衣宰相」之稱的金地院崇傳，以大御所（退位的將軍）德川家康、現任將軍德川秀忠、現任關白二條昭實的名義陸續頒布《武家諸法度》、《禁中並公家諸法度》、《寺院諸法度》，不只管制武家，連朝廷公卿和寺院也牢牢掌控在手。

《禁中並公家諸法度》全文共十七條，是日本史上第一次——也是唯一一次——由臣下明文訂定要天皇遵守的條文。《禁中並公家諸法度》不只規範天皇，皇族親王以及公卿也在規範範圍內，使得整個朝廷在江戶時代動輒得咎。第一條規定天皇主要的權限，內容為：

天子諸藝能之事，第一御學問也。不學則不明古道，而能政致太平者未之有也。《貞觀政要》明文也。《寬平遺誡》雖不窮經史，可誦習《群書治要》云云。和歌自光孝天皇未絕，雖為綺語，我國習俗也，不可棄置云云。所載《禁秘抄》，御習學專要候事。

這一條經常為華人撰寫的日本史書籍誤解，以為天皇所能從事的學問僅限於和歌這種風花雪月的文學創作，還有《禁秘抄》這種研究朝廷的制度、習慣、風俗、儀式、裝束等事項的有職故實。其實幕府准許天皇研讀《貞觀政要》、《寬平遺誡》、《群書治要》等治國濟民的書籍，幕府所不允許的是，天皇或其他朝廷公卿成為權力的中樞。《禁中並公家諸法度》規定天皇、三公(太政大臣、左大臣、右大臣)、攝關及其他公卿的權力、服飾、座位席次、任免、出家的寺院(門跡)、養子的收養方式、犯錯的處分等等，隨時處在京都所司代、京都町奉行與伏見奉行所的監視下。

日本的朝廷與中國歷朝歷代的朝廷大致相同，只差別在於規模，都是天子(天皇)及其朝臣處理政務之地。朝臣可分為皇族及公家，前者包含天皇的子女及四世襲親王家，後者包含有昇殿（指清涼殿）資格的堂上家（又稱為殿上人）及無昇殿資格的地下人。以下針對江戶時代朝廷、公卿各家進行介紹。

一、朝廷

天正十六（一五八八）年四月十四日起後陽成天皇到聚樂第行幸三日，期間秀吉曾奉獻近九千石作為支付天皇日常開銷的「禁裏御料」，而家康掌權後將「禁裏御料」追加到一萬石。到了元和九（一六二三）年、寶永二（一七〇五）年，三代將軍家光和五代將軍綱吉又各自奉獻一萬石，使「禁裏御料」達到三萬石，相當於小大名的規模。

若是一般大名，三萬石俸祿應足以維持全藩開銷，但身為日本最大主祭者、一整年幾乎離不開祭祀的天皇，著實難以負荷祭祀的龐大開銷。而且向大名兜售官位以及調停勢力間的紛爭這兩項戰國時代朝廷主要的生財之道，也在進入承平的江戶時代後消逝，區區三萬石的確有不足之感。此外，自古以來不問宗派，天皇皆有對德高望重的僧人授予紫衣的權力，而這項權力在三代將軍家光在位期間發生「紫衣事件」1後，根據先前頒布的《禁中並公家諸法度》內容明文規定禁止天皇授予紫衣和上人稱號，於是天皇的權力僅剩下改元（更換年號）。

基於朝廷從幕府得到的「禁裏御料」只有三萬石等種種待遇，民間普遍盛傳江戶時代的天皇皆在窮困中度日，好比明治天皇的生父孝明天皇喜好杯中物，但是佳釀得來不易只能將酒加水稀釋，喝的酒只有三分是酒，而七分是水云云，以此強調天皇的窮困。其實，上述的說法並不完全正確，朝廷的收入除了領地生產的白米外，還有其他作物、金錢以及無形的收入，囿於決定貧富的關鍵取決於石高的多寡這一先入為主的觀念，才會出現「江戶時代朝廷石高只有三萬石，因此天皇及其他公卿都很貧困」的刻板印象。

已故的近世．近代史學者飛鳥井雅道在《明治大帝》一書裡舉下橋敬長的著作《幕末的宮廷》說明孝明天皇「喝的酒只有三分是酒，倒有七分是水」是以訛傳訛，真實的狀況是孝明天皇好酒，經常從晚上六、七時開始喝，直喝到十時左右。飛鳥井也在該書提到，不僅是天皇家，就連五攝家的生活也比一般人想像的來得富裕，他們除了幕府給予的俸祿外，每年都固定從其他武家取得比幕府給予的還要更高的收入。另外，他們還以門第和大名通婚，藉此壯大勢力，因此可以這麼說，天皇家並不窮困，而近衛、一條等公家則是過於富裕。

二、四親王家

為預防將軍家子嗣斷絕，幕府在成立伊始便設置「御三家」以防萬一，到八代將軍吉宗、九代將軍家重時又增設「御三卿」。天皇亦是如此，為防皇族子嗣斷絕，而設置「四親王家」（也稱為「宮家」）以備不時之需。實施律令制的飛鳥、奈良時代規定凡天皇的兄弟姊妹或皇子皇女皆稱為親王（女性則稱為內親王），授以位階（一品到四品，沒有品位的親王則稱為「無品親王」）、給予俸祿和給田，並配置管理家政的職員家司。親王、內親王的子女稱為諸王

1 紫衣事件：紫衣指得道的僧尼身穿的紫色法衣或袈裟，只能由朝廷賜予。三代將軍家光依據已頒布的《禁中並公家諸法度》從朝廷手中收回此權力，在京都所司代板倉重宗的施壓下，當時在位的後水尾天皇選擇屈服，宣布先前賜予大德寺住持澤庵宗彭的紫衣無效。

或女王，三代之後不再有稱呼。

平安時代由於皇族成員過多，得到親王宣下的皇子（或皇女）才能成為親王（或內親王），未獲親王宣下的皇子或皇女稱為諸王或女王，如後白河法皇第三皇子並未得到親王宣下，成年後稱為「以仁王」。至於四親王家不受代數的限制，代代都能得到親王宣下，享有親王的頭銜及特權。另外，上皇、天皇的養子或猶子（義子）也有受到親王宣下而受封為親王的情形，如幕末時期的聖護院宮嘉言親王（光格天皇猶子）、青蓮院宮朝彥親王、伏見宮貞教親王、小松宮彰仁親王、輪王寺宮公現法親王（以上為仁孝天皇猶子）、華頂宮博經親王、北白川宮智成親王（以上為孝明天皇猶子）。

大抵而言，在中世紀得到親王宣下後出家的親王稱為「入道親王」；出家後才得到親王宣下的親王稱為「法親王」，但是到了江戶時代，區別似乎沒那麼嚴謹。

四親王家分別為伏見宮、桂宮、有栖川宮、閑院宮，不同於德川家康同時建立御三家，四親王家是先後建立的，以下筆者分別敘述之。

伏見宮

成立時間：十五世紀初（室町時代初期）
始祖：榮仁親王（北朝崇光天皇第一皇子）
主要根據地：山城國伏見御領
歷代通字：「貞」或「邦」
石高數：一〇二二石

伏見宮成立於十五世紀初的室町時代，是最早成立的四親王家。南北朝期間發生室町幕府的內訌（觀應擾亂），幕府將軍足利尊氏及副將軍足利直義先後投降南朝，導致北朝武力空虛。南朝因而一舉攻入京都，俘虜光嚴、光明、崇光三位上皇以及預定踐祚的皇太子直仁親王（花園天皇第三皇子），造成北朝暫時性消滅，此為「正平一統」。北朝在無主的情況下，由光嚴、光明兩上皇的生母廣義門院（後伏見上皇女御，名為西園寺寧子）立光嚴院第二皇子彌仁親王（崇光上皇皇弟）為帝，是為後光嚴天皇。

幾年後三上皇和皇太子陸續獲釋，但直仁親王已永遠失去即位的機會，抑鬱而終。崇光上皇原本有意在直仁親王即位後，以上皇身分要求他立自己的第一皇子榮仁親王為皇太子，也因為後光嚴天皇的即位而變得不可能。應永五（一三九八）年崇光上皇崩御[2]後，榮仁親王的地位更顯不利，被迫出家，居住地也一再遷徙，應永十六（一四一〇）年定居伏見御領後不再搬遷，因此被稱為伏見殿，是伏見宮的始祖。

南北朝於明德三（一三九二）年統一後，皇位由北朝的後小松天皇繼任，不過後小松天皇僅有實仁親王和小川宮兩位皇子，實仁親王即位（稱光天皇）後病弱的軀體使他早於後小松院崩御。按照南北朝統一時簽訂的明德和約內容，後小松天皇即位後應立南朝大覺寺統為皇太子，但後小松天皇卻傳位給自己的皇子，並成立院政。稱光天皇病重時後小松院依舊不考慮立大覺寺統為皇太子，因此皇太子人選只能從伏見宮著手。

當時伏見宮當主為第三代貞成親王（榮仁親王第二王子），他作為第一王子彥仁王過繼後小松院，因此彥仁王以稱光天皇皇弟身分成為第一〇二代後花園天皇，爾後到第一一八代後桃園天皇為止，皇統皆出自伏見宮。

之後伏見宮傳承至十九世紀初的貞敬親王（第十九代）和邦家親王（第二十代），貞敬親王共有十六子十九女，邦家親王亦不遑多讓，育有十七子十五女。拜這兩代當主旺盛精力之賜，伏見宮到幕末是人丁最旺盛的一支皇族，幕末・維新時期耳熟能詳的皇族成員多半來自伏見宮，像是山階宮晃親王、聖護院宮嘉言親王、青蓮院宮朝彥親王、小松宮彰仁親王、北白川宮能久親王、伏見宮貞愛親王、閑院宮載仁親王都是邦家親王之子。也因為伏見宮子嗣眾多，在貞敬親王時分出梨本宮，邦家親王時分出山階宮、久邇宮、華頂宮、小松宮、北白川宮、東伏見宮，接著，久邇宮再分出賀陽宮、東久邇宮、朝香宮，北白川宮分出竹田宮，讓幕末人丁幾近凋零的皇族充滿生機。二戰結束後伏見宮遭到盟軍下令脫離皇籍，伏見宮成員以伏見為姓氏。

2　崩御：駕崩，指天皇及皇后、皇太后、太皇太后去世。

桂宮

成立時間：十六世紀末（安土．桃山時代）
始祖：智仁親王（正親町天皇第一皇子誠仁親王第六王子）
主要根據地：山城國桂離宮
宮號演變：八條宮→常盤井宮→京極宮→桂宮
石高數：三一九七石（所有宮家最高）

豐臣秀吉在迎來鶴松和秀賴兩位親生兒子之前，曾收養為數眾多的養子和猶子，這些養子和猶子多數是從其他武家勢力收養而來，隱含著對秀吉臣從的象徵。當中身分最特殊的當數八條宮智仁親王，天正十四（一五八六）年在右大臣今出川（菊亭）晴季的斡旋下，將正親町天皇已故的第一皇子誠仁親王之第六王子智仁親王作為太政大臣秀吉的猶子，約定日後將繼承秀吉的關白職位。這個約定隨著天正十七年鶴松的誕生而被秀吉解除，為了彌補智仁親王，秀吉向朝廷奏請為親王成立新宮家八條宮，天正十九年親王宣下，確定親王已不可能成為關白。從日後歷史來看，秀吉的決定反而讓智仁親王因禍得福。

八條宮的子嗣不昌，第二代智忠親王即面臨絕嗣危機，於是向子女眾多的後水尾天皇（後陽成天皇第三皇子）要來第十一皇子穩仁親王繼承八條宮，由於後陽成天皇與智仁親王俱為誠仁親王之子且又是同母所生，加上穩仁親王與當時在位的後西天皇（後水尾天皇第八皇子）是同母兄弟，為最適合繼承八條宮的人選。但是血統的純正並不能保證八條宮的傳承延續，穩仁親王廿三歲早逝無嗣，因此收養後西天皇第一皇子長仁親王為第四代八條宮，長仁親王又早逝無嗣，於是再收養後西天皇第八皇子尚仁親王為第五代八條宮，然而尚仁親王的命運依舊。

元祿二（一六八九）年尚仁親王逝去，靈元院（後水尾天皇第十六皇子，後西天皇、穩仁親王的異母弟）以第九皇子作宮為八條宮的繼承人，並改八條宮為常磐井宮。作宮四歲夭折，當然也未有繼承人，靈元院再以作宮的異母兄文仁親王繼承常磐井宮（通算為第七代八條宮），並賜以京極宮作為新宮號。

之後歷經三代到公仁親王又出現絕嗣危機，無王子王女的公仁親王於明和七（一七七〇）年逝世後無人繼任，京極宮空缺。文化七（一八一〇）年光格天皇以甫出生的第七皇子盛仁親王繼承京極宮（通算為第十代八條宮），賜予新宮號桂宮。一年後親王夭折，桂宮再度空缺。天保六（一八三五）年仁孝天皇以第六皇子節仁親王（同母兄統仁親王即孝明天皇）繼承桂宮，一年後又告夭折，仁孝天皇已無其他皇子可以繼承，遂讓第三皇女淑子內親王繼承桂宮，這是四世襲親王家唯一的內親王。淑子內親王終生未婚，於明治十四（一八八一）年去世後桂宮斷絕。

從上所述，桂宮除首代智仁親王和改稱京極宮的三代外，幾乎都處於面臨絕嗣的危機中，因此桂宮對於幕末歷史可說無足輕重。不過桂宮對於後世的影響並不在於桂宮的當主，而是有「日本庭園最高評價的名園」之稱的「桂離宮」。桂離宮建於十七世紀初，歷智仁親王、智忠親王二代完成，雖由智仁親王設計、規劃，不過智仁親王與當時全才的文化人小堀遠州有深交，「桂離宮」的整體設計很難沒有小堀遠州的影子，目前桂離宮歸宮內廳京都事務所管轄。

有栖川宮

成立時間：十七世紀初（江戶時代初期）
始祖：好仁親王（後陽成天皇第七皇子）
主要根據地：山城國京都
宮號演變：高松宮→有栖川宮
石高數：一〇〇〇石

寬永二（一六二五）年，後水尾天皇賜予自己的同母皇弟好仁親王宮號高松宮，於是好仁親王這一支也成為四世襲親王家之一。寬永十五（一六三八）年好仁親王辭世，無嗣，當時的明正天皇（後水尾天皇第二皇女，生母東福門院源和子為二代將軍德川秀忠五女）承後水尾院之命，以當年剛出生的異母弟良仁親王繼承第二代高松宮，又稱為「花町宮」。

承應三（一六五五）年良仁親王為了後光明天皇（明正天皇異母弟，良仁親王異母兄）指定的繼承人識仁親王，以監護人的身分在識仁親王成年前暫攝皇位，是為後西天皇。後西天皇既繼承皇位，自然不能身兼高松宮當主，遂由後西第二皇子幸仁親王繼承第三代高松宮，並由天皇賜予新宮號有栖川宮。

享保元（一七一六）年，幸仁親王之子正仁親王早逝，於是靈元天皇讓第十七皇子職仁親王繼承第五代有栖川宮。親王擅長書法以及歌道，自創有栖川流書法，在歌道方面曾傳授桃園、後櫻町、後桃園三位天皇及眾多公卿歌道方面的學問，從此書法及歌道成為有栖川宮的家學。第八代有栖川宮幟仁親王是有栖川流書法的集大成者，成為之後皇室學習的書法體例。

第九代有栖川宮熾仁親王應該是歷代有栖川宮名氣最大者，其原因有二：一是和宮親子內親王降嫁幕府第十四代將軍德川家茂前，曾與熾仁親王有過婚約；其次是「鳥羽・伏見之戰」時官軍推出日本最早的軍歌〈親王大人〉（宮さん宮さん），當中的「宮さん」即是「帥宮樣」（官職為太宰帥的親王，因而被稱為帥宮）有栖川宮熾仁親王。

熾仁親王在戊辰戰爭官拜東征大總督，江戶無血開城後繼續擔任會津征討大總督，以此功勳在戊辰戰爭結束後擔任兵部卿、左大臣、參謀本部長、參謀總長，並成為日本皇軍第二位陸軍大將（第一位是西鄉隆盛）。熾仁親王無嗣，歿後由其異母弟威仁親王繼承，威仁親王幼年時即進入海軍，在日清、日俄兩役海戰中立下戰功，成為第一個非薩摩出身的海軍大將。晚年威仁親王喪子，大正二（一九一三）年歿後，有栖川宮因無人繼承而斷絕。

閑院宮

成立時間：十八世紀初（江戸時代中期）
始祖：直仁親王（東山天皇第六皇子）
主要根據地：山城國京都
石高數：一〇一七石

十八世紀初在幕府的建議下，東山天皇賜予七歲的第六皇子直仁親王閑院宮之宮號，閑院宮得以和伏見宮、桂宮、有栖川宮並列為四世襲親王家。

東山天皇後繼任的幾代天皇都不長壽，加上江戸時代除皇室繼承人的皇子和世襲親王家繼承人的親王外，有著其餘男性成員一律在特定寺院出家（門跡）的慣例，使得皇位繼承出現危機。第一一八代後桃園天皇於安永八（一七七九）年以廿二歲之齡崩御後，面臨繼承危機。最後由第二代閑院宮典仁親王第六王子師仁親王娶後桃園天皇唯一皇女欣子內親王為中宮[3]並繼承皇位，即位為第一一九代光格天皇。

這是繼第三代伏見宮貞成親王第一王子彥仁王後，三百五十年來再次由旁系繼承皇統，

3 中宮：皇后的別稱或次於皇后的嫡妻。

影響所及，現今日本皇室皆為閑院宮系統。以旁系繼承皇統的光格天皇於天明八（一七八八）年提出希望為生父典仁親王獻上「太上天皇」的尊號，在朝廷徵得多數參議以上的公卿同意後，派出武家傳奏[4]前往江戶徵求幕府准許。幕府老中首座松平定信以為天皇生父獻上尊號對幕府而言並無前例為由拒絕，接著松平老中為了維護幕府的尊嚴，興起「寬政異學之禁」打壓此次事件中為皇室仗義執言的學者。

無獨有偶，當時在位的十一代將軍德川家齊出自御三卿之一的一橋家，家齊也想為生父一橋治濟獻上「大御所」尊號，這個稱號在江戶時代是退位將軍的代稱。由於松平老中首座已拒絕光格天皇在先，此時也不得不拒絕將軍，因而受到將軍及其生父的怨恨，加上松平老中推動的「寬政改革」並未帶來明顯成效，在朝廷和幕府間雙方不討好的松平老中只好黯然下台。

其實光格天皇的尊號問題應是受到明朝的影響，一五二一年明朝正德帝（明武宗）駕崩，無嗣，正德叔父興獻王之子以旁系身分繼承皇統，即嘉靖帝（明世宗）。嘉靖即位後拒絕廷臣提出以弘治帝（正德帝和興獻王生父）為皇考的建議，只尊生父興獻王朱祐杬為皇考，此即明朝中葉有名的「大禮議」事件（可參閱《明史》卷十七、卷一九〇及卷一九一）。

典仁親王之後的閑院宮當主不是子嗣不昌就是短命，到第五代閑院宮愛仁親王於天保十三(一八四二)年去世後，終因缺乏繼承人而斷絕。明治五(一八七二)年一月，前文提過的伏見宮邦家親王，其第十六王子載仁親王(時年八歲)奉命繼承第六代閑院宮。載仁親王可說是明治、大正、昭和時代天皇以外最具盛名的皇族成員，不僅長年擔任貴族院皇族議員，還是陸軍大將、元帥、近衛師團長、軍事參議官、參謀總長，在日本敗戰前夕辭世，是戰前日本最後一位享有國葬待遇之人。二戰結束後閑院宮被下令脫離皇籍，載仁親王的繼承人春仁王自此以閑院為姓氏。

4　武家傳奏：負責向朝廷傳達幕府奏請的役職，定員二名，多由公卿中的羽林家擔任。

三、攝關家

在朝廷侍奉天皇的群臣統稱貴族，包括可以進入御所內裏清涼殿[5]的殿上人（亦稱堂上家）和不得進入清涼殿的地下人，兩者間並無一定的區別標準，大抵上為四、五位左右。

而擔任太政大臣、左右大臣（內大臣）、大納言、中納言、參議的貴族又稱為「公卿」，平安末期到鎌倉初期，確定能夠晉升公卿的家格，幾乎都是藤原北家的後裔，到幕末為止共有一百三十七家，可分為以下六等級：

一、攝家（攝關家）

藤原北家嫡系，平安末期分成近衛、九條、一條、二條、鷹司五個家族，極位極官為攝政、關白。

二、清華家

僅次於攝家的公卿，可兼任近衛大將和大臣，最高可達太政大臣（江戶時代太政大臣僅限於有攝政、關白資歷者擔任，清華家的極官僅止於左大臣）的家格。江戶時代以前只有久我、三條、西園寺、德大寺、花山院、大炊御門、今出川（菊亭）七家，江戶初期增加廣幡、醍醐二家，共計九家。

三、大臣家

次於攝家、清華家的公卿，極位極官為左右大臣，江戶時代前亦可晉升至太政大臣，但不能兼任近衛大將，計有正親町三條（嵯峨）、三條西、中院三家。

四、羽林家

低於大臣家的公卿，任官從參議經中納言到大納言，有時還可以晉升至內大臣，可兼任近衛少將、中將，共計有姉小路、中山、飛鳥井、壬生、冷泉、堀河、岩倉、千種、東久世等六十六家，是所有公卿數量最多的家格。

5 清涼殿：平安中期以後天皇辦理日常政務之處。

五、名家

家格與羽林家相當，極官亦為大納言，但是晉升管道為侍從、弁官等文職，可兼任藏人、藏人頭等令外官[6]，共計有日野、廣橋、柳原、烏丸、勸修寺、萬里小路、中御門等二十八家。

六、半家

堂上公卿家格最低，只有極少數可晉升至極官大納言，多數半家連參議都不可及，共計有澤、吉田、土御門等二十六家。

從以上的敘述應該有助於讀者了解：為何幕末時明明岩倉具視的貢獻遠大於三條實美，論器度謀略也遠勝三條，然而維新回天之後太政官最高位太政大臣卻由三條擔任，岩倉只能擔任右大臣（左大臣特地空下來虛位以待島津久光）。這是因為三條實美出身於僅次攝家的清華家，而岩倉僅是羽林家，在出身決定一切的幕府時代，岩倉縱有通天本領，太政大臣也是可望而不可及。

因攝關家彼此間有血緣上的關聯，以下筆者統括一起介紹。

平安末期藤原北家嫡流藤原忠通因寵愛四男基實，十六歲就讓出關白之位，讓基實繼承家業，廿三歲再轉任攝政。而基實的宅邸位於近衛大路（也稱陽明大路，現在的近衛通），遂以近衛為新姓氏。藤原忠通死後，基實亦早死，其子基通年幼，由藤原忠通五男（基實異母弟）基房擔任攝政．關白，而基房的宅邸被京都人稱為松殿，因此以松殿為姓氏。不過好景不常，基房與平清盛對立，當清盛幽閉後白河院的同時，基房亦被左遷太宰權帥，松殿家由基房三男師家繼承，師家的立場傾向源義仲，因此在義經消滅義仲後，師家亦遭廢黜的命運，接連兩代的錯誤選擇導致松殿家沒落。

忠通六男兼實（基實、基房異母弟）之宅邸位於九條大路（九條通），故以九條為姓氏。與近衛基通、松殿師家政治立場截然不同，後白河院崩御後，身為關白的九條兼實說服了受後白河院控制的幼君後鳥羽天皇，為源賴朝取得征夷大將軍宣下，因而得到賴朝的信任，平安時代由藤原北家壟斷攝政、關白的局勢到平安．鎌倉之際，轉變為近衛、九條二家輪

6　令外官：律令制規定以外的官職。

流擔任攝關。

十三世紀初鎌倉中期，第三代近衛家當主家實為四男兼平於鷹司小路（近衛大路以北）築宅邸，於是以鷹司為姓氏，是為鷹司氏之祖。約略同一時期，第三代九條家當主道家分別賜予次男良實、四男實經於二條富小路（京都市役所附近）、一條大路（一條通）上的宅邸，良實、實經便各自以二條、一條為新姓氏，藤原北家至此一分為五。此後直到頒布「王政復古大號令」廢除攝政、關白為止，六百多年間幾乎完全由近衛、九條、二條、一條、鷹司五個家族擔任攝政、關白，唯二的例外是平民出身的豐臣秀吉以及他的外甥「殺生關白」豐臣秀次。

源賴朝建立的幕府取代了朝廷原有的機能，權力重心移轉使得攝家即便位居堂上公卿的頂端，仍遠離政權核心。要當上攝政或關白（兩者不會同時存在）必須先當上藤原氏一族的氏長，亦即藤氏長者。然而不論藤氏長者或攝政、關白都只有一個名額，卻有五個家族競爭，加上天皇大權旁落，因此攝關家經常要求助幕府，以幕府的力量為後盾角逐藤氏長者，至於幕府會傾向哪個家族往往視現實的政治環境而定。一方面攝關家需要幕府的力量助其成為藤氏長者，然後登上攝政、關白的寶座；另一方面武家也需要親幕府的攝政、關白在朝廷運作，以實現其政治上的目的。因此即便武家政權建立後，天皇也好、攝家也好，儘管已喪失實權，幕府也並未將其廢除。

此外，由於攝家和其他堂上公卿長時間仰仗武家的接濟、看武家的臉色，使這些公卿練就出見風轉舵的本領，冷眼觀望武士的內鬥、不輕易表態。一旦勝利者呼之欲出才爭先恐後的歸附，以官位討好有之，結為兒女親家亦有之，尤其在幕府控制力搖搖欲墜時，這種情況特別明顯。不過公卿們再怎麼樣也不會讓自己投入到討幕的急先鋒，即便討幕方看似勝券在握，只要一有任何風吹草動，公卿們還是隨時會拋棄討幕方、向幕府靠攏，他們永遠追隨武家的勝利者，幕末長州志士在這方面吃足公卿的悶虧。

下頁提供一些關於五攝家的資料，提供給有興趣的讀者參考。

一、近衛家

成立時間：十二世紀中葉（平安時代末期）

家祖：近衛基實（藤原忠通四男）

家紋：近衛牡丹

家族名人：近衛前久、近衛信尹、近衛忠熙、近衛文麿

幕末時期石高數：二八六二石（攝家最高）

二、九條家

成立時間：十二世紀中葉（平安時代末期）

家祖：九條兼實（藤原忠通六男）

家紋：九條藤

家族名人：九條兼實、九條尚忠、九條節子（大正天皇正妻貞明皇后）

幕末時期石高數：二〇四四石

三、一條家

成立時間：十三世紀初（鎌倉時代中葉）

家祖：一條實經（九條道家四男）

家紋：一條藤

家族名人：一條兼良、一條房家、一條美賀子（德川慶喜正室）、一條美子（明治天皇正妻昭憲皇后）

幕末時期石高數：二〇四四石

四、二條家

成立時間：十三世紀初（鎌倉時代中葉）

家祖：二條良實（九條道家次男）

家紋：二條藤

家族名人：二條昭實、二條齊敬

幕末時期石高數：一七〇八石

五、鷹司家

成立時間：十三世紀初（鎌倉時代中葉）

家祖：鷹司兼平（近衛家實四男）

家紋：鷹司牡丹

家族名人：鷹司政通、鷹司輔熙

幕末時期石高數：一五〇〇石

第二章
親藩・譜代部分

紀伊藩

種類：親藩・御三家
總石高：五十五萬五千石
藩廳所在地：和歌山城
別稱：紀州藩、和歌山藩
極位極官[1]：從二位（權）大納言
在江戶城的伺候席[2]：大廊下
大名格式[3]：國持大名
支藩[4]：伊予西條藩（三萬石）
著名藩主：德川賴宣、德川光貞、德川吉宗、德川慶福

一、南龍大神德川賴宣

關原之戰結束後生於伏見城的德川賴宣，是家康的十男，幼名長福丸。長福丸二歲時因異母兄武田信吉早逝而入主常陸國水戶（茨城縣水戶市），石高為二十萬石。不過長福丸從未前往水戶，受到家康喜愛的他留在江戶由家康親自撫養，水戶則由家老前往治理。慶長十一（一六〇六）年，隱居而自稱大御所的家康帶著年僅五歲的長福丸上洛，在朝臣的見證下元服，並改名賴將。

慶長十四(一六〇九)年，家康為八歲的賴將擇定婚事，對象是加藤清正次女八十姬(死後法名瑤林院)。同年，賴將轉封到家康的隱居地駿府，石高也隨之提升到五十萬石，然而，此時的賴將尚未經歷初陣。慶長十六年人在駿府的家康九男義直和賴將陪同家康上洛，和秀賴在二條城進行一場歷史性的會面，賴將首度也是最後一次見到他未來的岳父加藤清正。

大坂夏之陣是戰國時代的最後一戰，同時也是賴將初陣的最後機會，儘管賴將自請擔任先鋒，不過家康之子的身分終究讓他錯失先鋒以及初陣。悶悶不已的賴將在家老安慰時出聲痛斥：

「我的十四歲豈會再有第二次！」

儘管賴將為錯失「初陣」感到懊悔，不過這場戰役有沒有他的參與對戰局結果毫無影響。

1 極位極官：極位極官原本指公卿依其家格被授予最高的位階及官職，江戶時代亦適用於諸藩。

2 伺候席：江戶時代的大名在參勤交代期間登江戶城拜謁將軍時等待的居處，依大名的家格、官位及擔任的役職，可分為大廊下、大廣間、溜間、帝鑑間、柳間、雁間、菊間廣緣七種。

3 大名格式：江戶時代的大名依其領國及居城，依序可分為國主(國持大名)、準國主(準國持大名)、城主、城主格、無城(陣屋)五種。

4 御三家的支藩稱為御連枝。

元和三(一六一七)年，賴將與八十姬完婚，可惜的是雙方父親都已不在人世，賴將婚後改名賴信，不久再改名為賴宣。元和五年，賴宣從駿河再轉封到紀伊和歌山，石高調整為五十五萬五千石。駿河則轉封給秀忠的次男忠長，而原本在紀伊的淺野長晟(淺野長政次男，石高三十七萬六千石)則轉封到安藝廣島接替遭到改易的福島正則，石高增至四十二萬六千石。

從二代將軍秀忠起，尾張的義直、紀伊的賴宣和水戶的賴房被稱為「御三家」，在江戶幕府中地位僅次於將軍家。所謂「在江戶幕府中地位僅次於將軍家」，並不單指官位和在江戶城的伺候席(尾張和紀伊的官位為大納言，水戶是中納言。至於江戶城的伺候席三家皆為大廊下)，而是當將軍家缺乏後嗣時可由尾張家和紀伊家提供合適人選繼承將軍。

賴宣入主紀伊後大幅改修和歌山城，並且著手規劃城下町，在賴宣的治理下紀伊大為繁榮，奠定紀伊藩繁榮的基礎。賴宣在位時間將近五十年，在三代將軍家光、初代尾張藩主德川義直去世後，賴宣以及秀忠的私生子保科正之分別以德川一族長老、幕閣的身分成為幕府重鎮。

五十歲左右的賴宣有兩件事值得一提，正保・慶安年間(一六四四～五二)鄭成功曾數次向日本乞師出兵復明，當時已鎖國的幕府當然不會因為亡明遺臣的乞師而大動干戈，再者，已經結束動盪戰國時代的日本能否打贏銳不可擋的滿清八旗兵誰也無法樂觀看待。

但是德川一族的長老賴宣卻積極主張幕府應派兵馳援鄭成功，因為一旦幕府同意出兵，賴宣便很有可能奉命率領所有西國大名，成為統率大軍的指揮官。不過眾幕閣不至於看不出賴宣的真正用意，而且跨海出征必然耗去不少錢財，若重蹈太閤出征朝鮮的覆轍，很有可能步上當年豐臣政權滅亡的後塵，因此賴宣同意鄭成功乞師要求的計畫終為幕府擱置。

另一件事是慶安四（一六五一）年四月廿日，三代將軍家光去世後發生的「慶安之變」。慶安四年三月，三代將軍家光以四十八歲之齡去世，留下年僅十一歲的長男四代將軍家綱、八歲的三男長松（後來的德川綱重，六代將軍家宣生父）和六歲的四男德松（後來的五代將軍德川綱吉）。

當時優秀的軍學者[5]由井正雪聯合寶藏院流槍術的丸橋忠彌、金井半兵衛，決定趁家綱年幼在位、政權不穩的機會在京坂一帶募集浪人，掀起叛亂。具體的分工為丸橋在江戶

5 軍學者：鑽研兵法、築城等軍事方面相關學問的人。

城下放火，用鐵砲槍擊幕府主要人員，趁機挾持家綱；同時由井和金井分別在京坂一帶起義，趁亂簇擁天皇逃往吉野，取得討幕敕命號召全國各地浪人，一舉推翻幕府。

然而這個計畫因為丸橋的門人告密，使得丸橋一進江戶就遭逮捕，由井則在從江戶前往京都的途中於駿府投宿時遭到包圍自盡，得知由井自盡消息的金井也在大坂自裁，早先被捕的丸橋則遭磔刑處決。事後幕府捕吏在由井正雪身上搜出賴宣的花押及印綬，因而認定賴宣參與謀反。雖然查驗後證實所謂的花押及印綬都是偽造，有「智慧的伊豆」之稱的老中首座松平伊豆守信綱與其他老中討論後，決定賴宣之後十年無須輪替參勤交代，看似不追究，其實形同將賴宣軟禁在江戶。

寬文七(一六六七)年，賴宣讓位長男光貞，被尊稱為「南龍公」。四年後的寬文十一年，賴宣病逝，享壽七十歲，葬於長保寺(和歌山縣海南市下津町，紀州德川家的菩提寺)，與家康同為紀州東照宮(和歌山縣和歌山市和歌浦)的主祭神，神號為「南龍大神」。

二、八代將軍吉宗

紀伊藩第二代藩主德川光貞育有四子，分別為長男綱教（第三代藩主）、次男次郎吉（夭折）、三男賴職（第四代藩主）以及四男賴方（第五代藩主）。

在正常情況下，賴方連要當上紀州藩主或支藩西條藩主都有問題，這也確實是賴方前半生的寫照。可是賴方卻在數年內接連當上支藩藩主及御三家當主，在重視血緣甚於一切的封建時代，賴方的際遇可說是靠運氣成分改變他的一生。

寬文七（一六六七）年即位的二代藩主光貞，於元祿十一（一六九八）年讓位長男綱教，綱教於寶永二（一七〇五）年五月十八日病逝，光貞只好改立剛成立的御連枝越前高森藩（福井縣越前市高森町）藩主賴職為紀伊藩第四代藩主。八月八日光貞病逝，接著九月八日賴職病逝，不到四個月的時間接連折損三位藩主及前藩主，光貞的血緣僅存另一新成立的御連枝越前葛野藩（福井縣丹生郡越前町）藩主賴方一人，他順理成章地在十月六日成為第五代紀伊藩主。同年十二月一日，五代將軍綱吉賜予偏諱「吉」字，賴方於是改名吉宗，此時他才廿二歲。

吉宗在位期間推動藩政改革，這是因應吉宗成為藩主後紀伊藩遇上寶永地震（一七〇七年）所帶來的損害而做的財政補救措施。數年藩政改革頗有見效，成為日後吉宗推動享保改革的依據。

因頒布《生類憐憫令》（生類憐れみの令）而私下被戲稱為「犬公方」的五代將軍綱吉於寶永六（一七〇九）年病逝，綱吉之所以推動《生類憐憫令》一般認為與他想獲得繼承人有關，但是《生類憐憫令》卻成為天下惡法。想藉實施此法而生下繼承人的綱吉最終未能如願，生前決定的繼承人德川綱豐（異母兄綱重長男）改名家宣，繼承六代將軍。

家宣重用側用人[6]間部詮房及旗本兼朱子學者新井白石，廢除令人詬病的《生類憐憫令》，實行文治政治，增設前章介紹過的四世襲親王家之一——閑院宮，被譽為「正德之治」，可惜在位僅三年便病逝。

家宣的四男鍋松繼任七代將軍，此時的鍋松只有五歲，正德三（一七一三）年三月元服，改名家繼，實際政權操掌在側用人間部詮房及朱子學者新井白石手上。正德六年四月三十日，家繼似乎因感冒引起的急性肺炎八歲死去，未能依婚約與靈元法皇第十三皇女八十宮吉子內親王成親，當然也沒有後嗣。加上家宣其他兒子都已夭折，秀忠的血統全部斷絕，八代將軍勢必得從御三家選出。

當時御三家的當主如下（括弧內的數字為年齡）：

尾張藩——德川繼友（25）。

紀伊藩——德川吉宗（33）。

水戶藩——德川綱條（61）。

德川綱條因年邁之故率先被排除在外（綱條兩年後去世），剩下的繼友和吉宗各有支持者，間部詮房及新井白石支持御三家筆頭繼友，家宣的御台所天英院及家繼的生母月光院支持吉宗，雙方可說僵持不下。間部詮房原本是家宣尚名為綱豐時在甲府藩主期間隨侍在旁的小姓，隨著主人成為將軍，其地位和權力均大幅提升，使得不受家宣信任的老中等幕閣把怨恨集中在間部身上。

6 側用人：亦稱御側御用人，為將軍的側近，官位雖低但因接近將軍，故權力不可小覷。

「這廝只會在主上面前拍馬逢迎，若讓他支持的人成為將軍哪還有我們生存的餘地？」

於是幕閣一致支持天英院及月光院，原因並非他們支持吉宗，而是出於厭惡間部詮房的心理，換言之如果間部支持的是吉宗，幕閣很有可能改為支持繼友。

有了這些人的支持，吉宗順利成為八代將軍，著名的時代劇《暴坊將軍》即是以吉宗為主角。當上將軍後吉宗立刻罷免間部詮房及新井白石，此舉讓幕閣們歡聲雷動。另外，吉宗也終其一生對拱他成為將軍的天英院及月光院禮遇有加。然而在對待幕閣方面，吉宗與家宣可說如出一轍，吉宗和家宣一樣從母藩紀伊藩選出如加納久通、有馬氏倫、大岡忠相（時代劇《大岡越前》的主角）等心腹帶進幕府，成立御側御用取次的職務來安插這些人馬。就任用自己人而言，吉宗與家宣並無太大差別。

三、將軍的家系

吉宗繼承德川宗家後，紀伊藩主由松平賴致繼承，他的生父松平賴純是賴宣三男，輩分上是吉宗的堂兄。松平賴致改名德川宗直，成為紀伊藩第六代藩主。

吉宗在位近三十年，對後世影響較大的作為有二：一是推動享保改革，此乃他依據任紀伊藩主期間推動的藩政改革經驗，將規模擴大到整個幕府。包括享保改革在內，幕府共推動三次大改革（另外兩次為寬政改革及天保改革），在幕末期間又進行安政、文久、慶應三次幕政改革（將於本書第二部介紹）。不難看出幕府想透過制度上的改革以圖強盛，只可惜這些改革大致上皆沿襲重農抑商的傳統，未能正視貨幣經濟發達的事實，因此收不到振衰起敝的目的。

其次是成立御三卿。吉宗在成為將軍過程中備受尾張家的威脅，即便成為將軍後，也還有第七代尾張藩主德川宗春（德川綱誠二十男，繼友的異母弟）挑戰他的權威，加深吉宗對尾張家的厭惡。

另外，吉宗在任紀伊藩主期間生下長男長福丸，元服後改名家重，即是日後的九代將軍。家重有嚴重的語言障礙，無法以言語清楚表達。而晚家重三年出生的次男小次郎，自幼聰明好學，深得幕臣愛戴，有意推舉他為將軍繼承人。對此，吉宗認為應該遵守長幼有序，只要幕閣同心協力輔佐家重，依舊可以締造盛世。反之，如果執意擁立小次郎，不僅造成同室操戈，也會讓幕臣分裂成兩派。

「該怎樣做才能兩全其美呢？」

苦思許久，吉宗終於想到兩全其美的方法。他分別在江戶城內的田安門和一橋門附近賜予宅邸，讓吉宗次男宗武（小次郎元服後的名字）及四男宗尹獨立成家，宗武因在田安門內，故稱為田安德川家（也稱為田安家）；宗尹在一橋門內，故稱為一橋德川家（也稱為一橋家）。

家重即位後，也仿效吉宗在江戶城清水門附近賜予宅邸給次男萬二郎（元服後改名重好），故稱為清水德川家（也稱為清水家），於是田安家、一橋家、清水家成為新的御三家。這三家的當主皆敘任從三位，在律令制裡從三位以上即為公卿（參議以上、大納言以下稱為「卿」；大臣以上稱為「公」），因此這三家稱為「御三卿」。

御三卿與江戶時代其他藩並不相同，最初並無領地，由幕府賜米三萬俵（一俵等於四斗，相當於六十公斤），之後改為由幕府各支付十萬石。此外，御三卿的領地分散在日本各地，由各地代官所管理。御三卿本身亦無家臣團，而是由幕府旗本構成，因此不應視御三卿為獨立的大名，而應視為將軍家的家屬。

吉宗在成為將軍的過程中備受尾張家的威脅，成立御三卿亦有取代尾張家的用意：

「以後將軍都由我的子孫繼承！」

九代將軍家重、十代將軍家治皆是吉宗嫡系；十一代將軍家齊出身一橋家，是第二代一橋家當主一橋治濟的長男，等於是吉宗的曾孫；十二代將軍家慶、十三代將軍家定皆是家齊嫡系；十四代將軍家茂雖是紀伊藩藩主，其生父德川齊順是家齊七男、家慶的異母弟，過繼到紀伊藩之前曾是清水家當主。家茂在血緣上為家定堂弟，比起雖是一橋家養子，但實際上出身水戶藩的一橋慶喜要親近得多，而在封建時代血統勝於一切，這是家茂能夠在將軍繼承人之爭中勝出的最大原因。

明治時代，新政府准許繼承德川宗家的德川家達（德川宗家第十六代當主），其幼名田安龜之助，出身御三卿中的田安家。因此可以這麼說，吉宗以後的德川宗家幾乎都是吉宗的子孫，確實達到他成立御三卿的目的，尾張家和水戶家被排擠在繼承將軍的資格外。

紀伊藩歷代藩主

代數	藩主	官位	出自
初代	德川賴宣	從二位大納言	德川家康十男
二代	德川光貞	從二位權大納言	德川賴宣長男
三代	德川綱教	從三位權中納言	德川光貞長男
四代	德川賴職	從四位下左近衛權少將	德川光貞三男
五代	德川吉宗	從三位權中納言	德川光貞四男
六代	德川宗直	從二位權大納言	伊予西條藩主松平賴純四男
七代	德川宗將	從三位權中納言	德川宗直長男
八代	德川重倫	從三位權中納言	德川宗將次男
九代	德川治貞	從三位左近衛權中將	德川宗直次男
十代	德川治寶	從一位大納言	德川重倫次男
十一代	德川齊順	正二位大納言	德川家齊七男
十二代	德川齊彊	從二位大納言	德川家齊二十一男
十三代	德川慶福	從三位左近衛中將	德川齊順次男
十四代	德川茂承	從一位中納言	伊予西條藩主松平賴學七男

水戶藩

種類：親藩・御三家

總石高：
最初二十五萬石，元和年間增至二十八萬石，元祿以後三十五萬石

藩廳所在地：水戶城

極位極官：正三位（權）中納言

在江戶城的伺候席：大廊下

大名格式：國持大名

支藩：
讚岐高松藩（十二萬石）、陸奧守山藩、常陸府中藩（皆為二萬石）、常陸宍戶藩（一萬石）

著名藩主：
德川賴房、德川光圀、德川齊昭、德川慶篤

一、天下副將軍

水戶家的始祖德川賴房是家康十一男，於關原之戰結束後生於伏見城，幼名鶴千代丸，和賴宣是同母兄弟。家康就任將軍期間把五郎太丸（元服後改名義直）、長福丸以及鶴千代丸都帶在身邊撫養，因此這三個兒子受到的教育水平普遍比他們的兄長來得優秀。

慶長十一（一六〇六）年，家康封鶴千代丸在常陸下妻（茨城縣下妻市）十萬石的領地。

慶長十四年，隨著賴將轉封到駿府，鶴千代丸也從下妻轉封到水戶，石高從十萬石提升到二十五萬石，鶴千代丸此時七歲。慶長十六年，鶴千代丸元服，改名賴房。

與義直、賴宣兩位兄長不同的是，大坂之陣期間賴房都在駿府城留守，根本沒有初陣的機會，而且就算留守駿府城有也其他家老打理一切，根本無須賴房費心。

寬永三（一六二六）年七月家光配合後水尾天皇行幸二條城而上洛，義直、賴宣、賴房三位叔父及其他大名亦跟隨在旁。八月十九日，賴房敘任從三位權中納言，義直和賴宣皆為從二位權大納言，相形之下賴房矮了一截。不過真正讓賴房不滿的是，加賀藩主前田利常、薩摩藩主島津家久、仙台藩主伊達政宗等外樣大藩的藩主也在這一日敘任從三位權中納言，朝廷雖以授予官位沒有收回之理拒絕，不過還是在翌年一月補上正三位，讓御三家的官位與其他大名有所區隔。

賴房在秀忠在世期間（包括就職將軍及大御所）數次返回水戶，自寬永九（一六三二）年一月廿四日秀忠病逝後、家光親政到其逝去的慶安四年四月廿日，賴房只返回水戶三次（一生待在水戶的時間亦屈指可數），之後水戶藩主常駐江戶的定府[7]權利，可說在家光治世時從賴房起成為常態。水戶藩主因長年在江戶定府，是以水戶藩政多由家老負責，藩主負責輔佐將軍而不過問藩政，加上水戶藩地位崇高，因此水戶藩主素有「天下副將軍」的稱號。

不過，賴房雖有定府江戶的特權，也被時人稱為「天下副將軍」，可是自元服以來全名始終是松平賴房，直到寬永十三（一六三六）年被家光賜姓德川後，才成為名符其實的「天下副將軍」。不過，「天下副將軍」的稱號其實也宣告將水戶藩排除在繼承將軍資格之外，這也是為何水戶藩的石高幾乎只有尾張、紀伊二藩的一半，因此有一說認為所謂的御三家應該是將軍家、尾張家和紀伊家，因為只有這三家才有繼承將軍資格，不管將軍落在哪一家，都由水戶家擔任輔佐角色。

二、水戶黃門德川光圀

說到水戶藩不可不提的人物是該藩第二代藩主、去世後諡為義公的德川光圀。光圀幼

7 定府：江戶時代毋須輪替參勤交代、永住江戶的大名。

名長丸，生於寬永五(一六二八)年，是賴房的三男。寬永九年，長丸與長兄竹丸進水戶城晉見父親，賴房非常喜愛長丸，翌年決定立為世子。

據說賴房之所以立長丸為世子，在於義直的長男光友和賴宣的長男光貞年齡都小於竹丸，因此賴房才立比光友、光貞年紀還小的長丸，不過這種說法應該不是賴房選擇長丸的真正原因。

寬永十一年，長丸進江戶城拜謁家光，兩年後元服，家光賜予偏諱改名光國，延寶七(一六七九)年光國改名光圀。儘管光圀成為繼承人一事已成定局，年輕時的光圀卻是個脾氣暴躁之人，直到十八歲讀到《史記．伯夷列傳》才有所感悟，對過去的惡行徹底悔改。

寬文元(一六六一)年七月廿九日，賴房在水戶城病逝，享年五十九歲。繼任藩主的光圀發出禁止殉死的命令，水戶藩正式進入光圀的時代。說到德川光圀，可能不少人會想到知名的時代劇《水戶黃門》，隱居的光圀帶著幾名隨從，到各地漫遊兼視察民情，一旦遇上魚肉鄉民的貪官惡吏，光圀還會以天下副將軍的身分為民除害。《水戶黃門》最早在明治末年搬上大銀幕，隨從人數來來去去，而德川光圀始終屹立不搖，飾演光圀最有名的演員在戰前為二代目尾上松之助(日活)，戰後則為月形龍之介(東映)。戰後，彩色電視機成為日本

「三大神器」之一，《水戶黃門》多次被改編成電視劇，是少數在電影和電視都享有高人氣、高收視率的劇目之一。

事實上，《水戶黃門》最初是幕末期間以「講談」（類似說書）的形式由講談師向庶民講述故事。既然是說故事的形式，為了成功吸引民眾，重點自然著重於故事的連續性及趣味度上，真實性相較之下已不是那麼重要。最初《水戶黃門》被改編成歌舞伎，之後改編為電影、演劇以及小說。戰後除電視劇外，還曾改編成漫畫和動畫，《水戶黃門》可說在文創領域裡以不同形式交出漂亮的成績。

黃門，全名黃門侍郎，是皇帝的近侍之臣，既是近侍，可見官職並不大。隋唐黃門侍郎屬於門下省，該省長官為納言（後改稱侍中），副官為侍郎，黃門侍郎即門下省副官，玄宗時黃門侍郎改名門下侍郎。日本律令制官職則以黃門侍郎作為中納言的唐名，因此《水戶黃門》即是水戶中納言，此為水戶藩主的極官，但不是每位水戶藩主都能敘任（權）中納言，只有初代賴房、二代光圀、三代綱條、六代治寶、八代齊脩、九代齊昭、十代慶篤等七位水戶藩主的極官為（權）中納言。

身為次男的光圀受到父親喜愛而被立為世子，讓他對兄長松平賴重（讚岐高松藩首代藩主）感到內疚。因此他於寬文三（一六六一）年即位不久就立兄長的長男松平賴世（之後改名德川綱方）為繼承人，儘管綱方於寬文十年早逝，依舊沒有改變光圀以兄長之子作為繼承人的念頭。翌年光圀再以賴重次男采女為養子，即日後的三代藩主德川綱條，此後的水戶藩主都是松平賴重的後裔。光圀的長男鶴千代則成為兄長的養子（讚岐高松藩第二代藩主松平賴常）。

元祿三（一六九〇）年光圀將藩主之位讓給已三十五歲的綱條，隱居後的光圀留著長長的白鬚、戴上頭巾前往各地行腳是確有其事，因而有前述的《水戶黃門》。不過，光圀實際上行腳的範圍並沒有《水戶黃門》來得廣泛，而且他在各地行腳最主要的用意不在於視察民情，而是為了收集編纂《大日本史》的資料。

三、水戶學的形成

水戶藩對幕末維新最大的貢獻倒不是「櫻田門外之變」，而是以儒學——特別是朱子學

——為中心，結合國學、史學、神道等諸種思想學問，倡導尊王攘夷、大義名分的學說，因發源於水戶藩，習慣上稱為「水戶學」。

光圀尚為世子的明曆三（一六五七）年即在水戶藩的江戶駒込（東京都豐島區駒込）別邸開設修史局，準備編纂與歷來日本慣用體例（編年體）不同的史書，即一部仿效中國正史體例（紀傳體）、以神武天皇為始的通史。

寬文三年，已成為藩主的光圀將修史局遷移到小石川邸（東京都文京區後樂），兩年後招聘流亡日本的亡明遺臣朱舜水，將他從長崎接來江戶小石川藩邸住下，以對待老師的禮節侍奉朱舜水。寬文十二年，光圀將小石川藩邸的修史局命名為：「彰考館」。來自杜預撰寫的《春秋左氏傳》（亦稱為《左氏春秋》、《左傳》）序文：

若夫制作之文，所以彰往考來，情見乎辭，言高則旨遠，辭約則義微，……

當時幕府已完成由林羅山・鵞峰父子為主編纂的編年體通史《本朝通鑑》，上起神代，下迄後陽成天皇（在位期間一五八六～一六一一），全書共三百二十六卷，由於是以武家為論述核心，因此推崇足利尊氏扶植的北朝為正統。《本朝通鑑》於三代將軍家光在位時開始編纂，以中國修史的立場而言屬於官修史書，因此動員的人力及物力都相當可觀。

光圀也以同樣的規模修史，而且編修人員不限於水戶藩，早期修史以彰考館總裁安積覺（號澹泊）為主進行修史，歷經光圀、綱條、宗堯、宗翰四代藩主，安積覺病逝後修史事業暫告中止。後期修史始於立原萬（號翠軒）與藤田一正（號幽谷）的對立，最後由獲勝的藤田幽谷進行修史。之後遇到幕末動亂（下一節將提到的水戶天狗黨之亂）而中止。明治時代繼續補完未修的志和表，到明治三十九（一九〇六）年水戶德川家第十三代當主德川圀順（第十代藩主慶篤之孫）時終於全部完成。歷時近二百五十年修成的史書命名為《大日本史》，全書上起神代，下迄南北朝一統（後小松天皇），總計三百九十七卷、二百二十六冊，包含本紀（歷任天皇）七十三卷、列傳（后妃、皇子、皇女、群臣及其他）一百七十卷、志・表共一百五十四卷。

《大日本史》全書有三大特色：

一、將神功皇后列入后妃傳（列傳）。
二、將大友皇子列入帝紀（本紀）。
三、以南朝（一三三六～九二）為正統。

這三點每一項都與當時以武家為正統的史書（包含《本朝通鑑》）有所悖逆，甚至還因此出現南北朝正閏論的紛爭，昔日被視為惡黨[8]的楠木正成終於翻轉過來，與新田義貞成為勤王的大忠臣，足利尊氏則淪為逆賊。

因為編修《大日本史》，使得在幕府統治下幾乎已消失無蹤的大義名分、尊王攘夷精神復甦，並與國學緊緊結合，喚醒幕末時期志士的心靈。而大義名分、尊王攘夷發展到後來，不可避免地會產生對幕府的質疑，這亦是攘夷派（尊攘派）後來紛紛走上倒幕路線的原因。

水戶學不僅影響維新志士，眾所周知，幕府最後一任將軍德川慶喜亦出身水戶藩，他受水戶學的影響只怕不輸維新志士，慶應四（一八六八）年的鳥羽·伏見之戰只進行四日，

8 惡黨：敢於反抗幕府權力的人，猶如室町時代的地侍、國人眾。

在死傷不算嚴重的情形下慶喜退守大坂城，不久又棄守大坂城退回江戶。長久以來，慶喜這一舉動受到包含天璋院在內之江戶幕臣的責難，認為他是敗掉幕府基業的罪魁禍首，天璋院甚至對繼承德川宗家的德川家達留下不得與慶喜子孫通婚的家訓。

鳥羽．伏見之戰前三日（慶應四年一月三日～六日）幕軍死傷雖多於官軍，士氣尚維持於不墜的情況。幕軍士氣的崩解發生在一月七日這天，朝廷在這一日下達慶喜追討令，慶喜取代長州成為朝敵，象徵官軍的「錦之御旗」也飄揚在鳥羽．伏見之戰的戰場上。對此，傳統說法為慶喜見到飄揚的「錦之御旗」為之喪膽、頓時失去戰意，統帥的膽怯傳染到全軍，於是出現陣前逃亡的行為，鳥羽．伏見之戰到此勝負已定。

然而這種說法並不完全正確，整場鳥羽．伏見之戰折損的幕軍人數不到三百人，如果出現陣前逃亡的情況，表示幕軍連要維持基本陣形都有所困難，死亡人數應該不會只有三百人不到。慶喜出身水戶藩，自幼就受到尊王攘夷、大義名分等水戶學思想的薰陶，他不能接受自己成為朝敵的事實，才會在鳥羽．伏見之戰正酣之際撤退，繼而丟下幕軍、連夜搭乘軍艦逃回江戶。當然主帥陣前逃亡對士氣無疑是致命性的打擊，慶喜此舉必然對其名聲有毀滅性的影響，但是他寧願承受敗掉德川家江山的罵名，也不願背上朝敵之罪名，不難看出水戶學對他的影響實已大過德川家的基業。

四、派系之爭到水戶天狗黨之亂

幕末最早提倡攘夷的並非長州藩，而是因編纂《大日本史》發展出水戶學的水戶藩，可是水戶藩的攘夷力量到了慶應年間幾乎消逝不見。導致幕府威望下墜的起點是發生在安政七（一八六〇）年三月三日的「櫻田門外之變」，該事變雖最終由唯一的薩摩藩士有村次左衛門斬下井伊大老的首級，然而從策劃、勘查現場地形、聯絡、完成後的後續動作都是由水戶藩士執行。幕閣遇刺在江戶時代不乏前例（綱吉在位時期任命的大老堀田正俊遭到稻葉正成之孫正休刺殺），但遭到外樣藩士斬首卻是首例，而且井伊大老被斬首象徵的意義大於失去性命。照理而言，水戶藩光憑「櫻田門外之變」就有取代佐賀藩、躋身倒幕四大雄藩的資格（「櫻田門外之變」是幕府威望墜落之始，佐賀藩因加入倒幕官軍才在維新回天後佔有一席之地，但只是錦上添花），不過最終水戶卻沒能在維新回天後取得應有的地位，這是因為參與「櫻田門外之變」的十八位水戶浪士，除海後磋磯之介、增子金八誠兩人外，其餘都在兩年內死去，不是傷重當場切腹，就是逃亡途中被幕府或藩的捕吏捉住處斬。

之所以有如此下場，是由於「櫻田門外之變」並非在藩論一致的情況下所策劃。為何水戶藩不能上下一心呢？這必須從文政十二（一八二九）年十月年僅三十三歲的第八代藩主德川齊脩去世說起。

娶十一代將軍德川家齊七女峰姬為正室的齊脩，死時並無子女，於是子女眾多的家齊（共有二十六男二十七女）有意挑選其中一子繼承水戶家。而水戶藩士的武田正生（號耕雲齋）、戶田忠敞（號蓬軒）、藤田彪（號東湖，前述的幽谷次男）等人認為應立齊脩的異母弟為繼任藩主。齊脩的異母弟有第九代讚岐高松藩主松平賴恕、德川紀教、第七代常陸宍戶藩主松平賴筠（與賴恕是同母兄弟）三人，其中賴恕、賴筠二人已是水戶支藩的藩主，唯獨德川紀教已經三十歲還在藩內，因此紀教以齊脩養子的身分成為第九代水戶藩主，接受家齊的偏諱改名德川齊昭，齊脩的未亡人峰姬則成為他名義上的養母（但是兩人同齡）。

齊昭即位後，針對眼前惡化的財政進行藩政改革，他大量起用在繼承人之爭時大力支持他的東湖派人馬進行改革，任命繼承藩主之初的小姓結城寅壽負責財政改革。結城與藤田東湖在擁立齊昭為藩主期間雖是志同道合的同志，可是一旦被委以改革重任、嚐到權力的滋味後，對於權力顯得難以把持，過去支持由家齊的兒子繼承藩主的藩士紛紛視結城為首領而投靠之，派系對立逐漸成形。

天保十三（一八四二）年，水戶藩奉幕府之命鑄造大砲置於海岸，為解燃眉之急，齊昭下令徵收佛寺的佛像及吊鐘作為鑄造大砲的原料。不料東湖派人馬均表反對之意，而結城則迎合齊昭、強力徵收佛像及吊鐘，此舉招致佛寺的反彈及非難，一狀告到幕府去，結果幕府於弘化元（一八四四）年五月下令齊昭隱居謹慎[9]，家老戶田蓬軒、藤田東湖等人之後也受到蟄居的處分。藩主之位由齊昭十三歲的長男鶴千代麿繼任，即第十代水戶藩主德川慶篤，因年幼之故由讚岐高松藩主松平賴胤、陸奧守山藩主松平賴誠、常陸府中藩主松平賴繩三家御連枝共同擔任後見職（監護、輔佐者）。儘管齊昭在該年十一月就被解除謹慎的處分，然而已隱居不再具藩主身分的他，無從過問藩政。

這一事件普遍被認為是幕府與結城寅壽在唱雙簧，不僅齊昭隱居謹慎，被免去官職的

9 謹慎：江戶時代對上級武士或公家的處分，在處分期間內受處分者不可外出，也不得與外界接觸。

也盡是東湖派，儘管由三家御連枝共同輔佐慶篤，可是三家御連枝都要輪替參勤交代，實際的後見職落在結城寅壽手上，水戶藩從此陷入對立。

其實早在德川齊脩死後的繼承人選擇上，水戶就已出現意見不同的兩派對立，齊昭被處以隱居後，稱處分他的老中首座阿部正弘為天狗，因此擁戴齊昭的藤田東湖等黨羽自稱為天狗黨或是激派（攘夷派），結城寅壽一派被稱為鎮派（保守派）。接著，造成安政大獄導火線的「戊午密敕」之處置，讓鎮派和激派的對立公開化，與長州、土佐等攘夷派有所往來的（如簽訂《丙辰丸盟約》）基本上都是激派，雖然激派與後來走向倒幕的長州、土佐親近，但是激派只是主張攘夷，而無倒幕意圖。

文久三（一八六三）年的天皇大和行幸是長州藩與水戶藩激派密謀的計畫，然而這一計畫卻因為公武合體派發動政變而無限期延期。天狗黨領袖之一的藤田小四郎（東湖四男）於是變賣家產，到水戶藩各地號召義士進行義舉。元治元（一八六四）年三月廿七日，藤田小四郎在筑波山（茨城縣筑波市）號召六十二名同志意圖舉兵，藩主慶篤先後派數名藩士前往勸說小四郎，但派出的藩士反而被小四郎說服，使天狗黨在數日內就壯大到成為超過千人的集團，自稱為筑波勢。

四月三日，小四郎離開筑波山前往日光東照宮（栃木縣日光市山內）祈求攘夷成功，然而日光東照宮是神君家康的陵寢，幕府設有日光奉行負責管理東照宮日常行事及日光領（天領），豈能任由一支超過千人的團體任意進出？日光奉行要求鄰近日光諸藩出兵，阻止天狗黨進入東照宮。天狗黨並非軍隊，若與諸藩藩兵開戰可說毫無勝算，因此小四郎轉進到日光南邊的太平山（栃木縣栃木市），在當地滯留至五月底。

隨著滯留的時間愈久，資金和糧食的不足終於讓天狗黨淪為一般打家劫舍的雞鳴狗盜之輩。此時正值將軍家茂二度上洛（請參照第二部第十一章），留守江戶城的板倉勝靜、牧野忠恭兩位老中不願立刻發兵討伐，直至五月廿日家茂循海路返回江戶後才通報此事。家茂立刻命水戶藩主德川慶篤登城參見，震怒的家茂下令動員包含水戶藩在內的常陸、下野兩國共十餘藩兵力圍剿天狗黨。

七月七日諸藩動員完畢，準備前往太平山剿滅天狗黨，勢單人薄的天狗黨在常陸、下野間迂迴轉進，於水戶城下與諸生黨[10]交戰，敗退至東邊的那珂湊（茨城縣常陸那珂市）。

10　諸生黨：由鎮派家老市川三左衛門成立，以藩校弘道館生徒為主的保守派。

天狗黨在此地與追擊而來的幕府軍激戰，儘管犧牲慘重，天狗黨也因而得以突圍，再次轉進至那珂湊北邊的大子村（茨城縣久慈郡大子町）。

自天狗黨出走以來，歷經種種打擊使他們對藩主德川慶篤失望透頂，在家老武田耕雲齋的提議下，他們決定西上京都向禁裏御守衛總督一橋慶喜申訴，希望能透過他向朝廷表達天狗黨的忠心。

元治元年十一月一日，武田耕雲齋率領八百餘名天狗黨成員從大子村往西出發，進入下野國那須野調頭南下，經武藏國進入上野國富岡走中山道。之後越過內山峠（群馬縣甘樂郡下仁田町與長野縣佐久市交界處）、和田峠（長野縣小縣郡長和町與諏訪郡下諏訪町的交界）兩個關卡來到下諏訪，於十一月廿六日沿伊那谷南下，宿於中山道馬籠（岐阜縣中津川市），然後進入美濃國。作家島崎藤村的《黎明前》（夜明け前）關於武田耕雲齋及天狗黨有詳盡的介紹。

幕府追兵沿東海道前進，同時也調動彥根、大垣、尾張、犬山、桑名五藩藩兵往美濃平原包圍。天狗黨眼見已無法通過關原進入近江，臨時改道從美濃北邊通過蠅帽子峠（岐阜縣本巢市與福井縣大野市交界處）進入越前，打算沿北國街道南下近江沿琵琶湖東岸進京。

十二月十一日，天狗黨終於克服困難，抵達越前國新保（福井縣敦賀市）。然而，令天狗黨扼腕的是他們希望之所繫的一橋慶喜竟主動向朝廷請命，願意率領加賀、會津、桑名三藩藩兵討伐天狗黨以安朝廷之心。在前後皆有追兵的情況下，飢寒交迫的天狗黨成員終於在十二月十七日在加賀藩境內投降，共計八百二十八人。

加賀藩以赤穗義士的前例厚待天狗黨員，將他們安置在加賀藩境內的寺院。不久，加賀藩將天狗黨員引渡給幕府，幕府將八百多人關押於越前敦賀港魚貨倉庫，在北陸寒冷的天氣下他們遭除去上衣，全身只剩一條兜襠布，手腳被上枷，一日只分配兩個飯糰果腹，衛生條件極差，有二十餘人受不住嚴寒死去。

元治二年二月四日，幕府判處當中的三百五十二人斬首，當日就在敦賀町來迎寺（福井縣敦賀市松島町松原公園內）處決包括武田耕雲齋、藤田小四郎、田丸稻之衛門、山國兵部（田丸之兄）等二十四名幹部，斬首完後就地掩埋。二月十二日、十三日、十六日、廿日分別再處斬一百三十四名、一百零二名、七十六名及十六名天狗黨員，其餘四百餘名成員分別處以流放遠島及逐出水戶藩等處分。

天狗黨之亂使水戶藩激派幾乎被消滅殆盡，等於葬送了水戶藩的未來，其罪魁禍首不正是德川慶篤及一橋慶喜嗎？

維新回天後武田耕雲齋被追贈正四位，藤田小四郎被追贈從四位，一同入祀靖國神社。然而追贈也好，入祀也好，都只屬於個人的榮譽，對於經濟生活的改善並沒有太大的幫助。茨城縣立歷史館主任研究員石井裕先生發現武田耕雲齋的孫子武田金次郎（耕雲齋長男武田彥衛門長男）在明治廿七（一八九四）年底曾修書一封，向同藩的香川敬三子爵（明治四十年九月晉升伯爵）請求經濟上的援助。

水戶藩歷代藩主

代數	藩主	官位	出自
初代	德川賴房（威公）	正三位中納言	德川家康十一男
二代	德川光　（義公）	從三位中納言	德川賴房三男
三代	德川綱條（肅公）	從三位權中納言	讚岐高松藩主松平賴重次男
四代	德川宗堯（成公）	從三位左近衛權中將	讚岐高松藩主松平賴豐長男
五代	德川宗翰（良公）	從三位左近衛權中將	德川宗堯長男
六代	德川治保（文公）	從三位左近衛權中將	德川宗翰長男
七代	德川治紀（武公）	正四位下左近衛權少將	德川治保長男
八代	德川齊脩（哀公）	從三位權中納言	德川治紀長男
九代	德川齊昭（烈公）	從三位權中納言	德川治紀三男
十代	德川慶篤（順公）	從三位權中納言	德川齊昭長男
十一代	德川昭武（節公）	從一位	德川齊昭十八男

越前藩

種類：親藩・御家門
總石高：三十二萬石
藩廳所在地：福井城
別稱：福井藩
極位極官：正四位下參議

在江戶城的伺候席：大廊下
大名格式：國持大名
支藩：越後糸魚川藩（一萬石）
著名藩主：
松平秀康、松平忠直、松平慶永（春嶽）

一、結城秀康的領地

結城秀康是家康的次男，天正二（一五七四）年生於遠江國，幼名於義丸，生母阿萬（之後的長勝院，也稱為小督局）是家康正室築山殿的奧女中[11]。天正初期的德川領地除三河外，尚有遠江，這是家康與武田信玄約定瓜分今川家而得到的領地。家康將三河岡崎城（愛知縣岡崎市康生町）留給正室築山殿和長男信康，將居城遷徙到前線遠江國濱松城（靜岡縣濱松市中區元城町，二〇一七年獲選為續日本一百名城）。

家康以濱松城為居城的理由是為了對抗武田氏，而三河的西邊是尾張，家康與尾張的織田信長訂有清洲同盟，雖然使家康沒有後顧之憂，但也限制了德川家只能朝東擴張領地。儘管居城遷徙至濱松城，家康有時還是會返回岡崎城探望正室與長男。

元龜四（一五七三，同年七月改元天正）年家康返回岡崎城，趁著築山殿不在，臨幸了一位名為阿萬的奧女中。之後這位奧女中便消失在家康的記憶裡，然而一夜風流就讓阿萬懷孕，事情很快在岡崎城奧向[12]傳開，在築山殿的逼問下阿萬坦承家康是孩子的父親。

「真會偷吃！」

這件事被家康底下一位叫本多作左衛門（名為重次，有「鬼作左」之稱）的家臣得知，他確定阿萬懷的是家康的種之後，自作主張將阿萬送出岡崎城。由於本多氏是松平家譜代家臣，作左衛門又是三河三奉行之一（另兩人是有「佛高力」之稱的高力與左衛門清長和有「天野最公平」之稱的天野三郎兵衛康景），築山殿得知後也不能多說什麼。

11 奧女中：服侍將軍家或大名家奧向的女性。
12 奧向：大名正室、側室及其子女居住之地，類似將軍的大奧但規模小了許多，同樣是大名除外的男性禁區，由統稱為奧女中的女性服侍。

當家康又若無其事地來到岡崎城，本多作左衛門找個機會把家康拉到一旁，問道：

「主公可還記得有個名叫阿萬的奧女中嗎？」

家康搔了搔頭，苦思半天不得其解。作左衛門看家康的反應知道若不出聲點破，家康再想個一天也想不出來，於是直接說出她已懷有主公的身孕。

「不會吧！在戰場上都沒這麼神準過。」

天正二年二月，阿萬生下一子。消息傳來，家康只是託人送去印有德川家紋的衣服給小孩，既不過問衣服送去何處，也毫無想見小孩的念頭。倒是作左衛門看不下去，硬要家康為小孩取名，家康不得已為小孩取於義丸的幼名。於義丸是家康自永祿二（一五五九）年三月長男信康出生後，事隔十五年才有的次男，照理而言家康應該喜形於色才對，但家康為小孩取完名後卻對母子不聞不問。家康的不聞不問應該與阿萬的家世無關，之後家康臨幸過的女性大部分家世不見得比阿萬好，與阿萬沒有感情基礎應該才是主因，另外也可能與畏懼築山殿有關。於義丸三歲時首度與家康見面，即便見過面，也出於內心愧疚而將阿萬母子安置在濱松城內，家康對他們依舊冷淡，於義丸的養育由本多作左衛門負責。

天正七年九月十五日，信康因涉嫌與武田家私通被信長下令切腹，信康生母築山殿則在八月底已先被家康派人處死。信康既死，於義丸成為長男，總該得到家康關愛的眼神，但是家康早在去年便搭上一位名叫阿愛（之後的寶台院，也稱為西鄉局）的年輕寡婦，阿愛在信康切腹前生下一子，取名長丸，信康切腹後家康立即將長丸改名竹千代。

「主公外表道貌岸然，但是追求女性的功夫毫不含糊。」

松平氏自第四代親忠以來幼名都是竹千代，不僅家康，連剛被下令切腹的信康幼名也是竹千代。因此家康讓剛出生的長丸繼承竹千代的幼名，這用意再清楚不過了，作左衛門不禁為於義丸叫屈。

「主公對於義丸少主就不能多點關愛的眼神嗎？」

天正十二年九月，秀吉與家康和解、結束小牧・長久手之戰，為了表示和解的誠意，秀吉向家康要求人質。當時家康有於義丸、竹千代、福松丸（竹千代同母弟）以及萬千代丸四名兒子，三男竹千代是家康預定的繼承人選，不可能交給秀吉；四男福松丸已繼承松平家的分家東條松平家（之後的忠吉），也不適合作為人質。最後家康在十一歲的於義丸和兩歲的萬千代丸中選擇了前者，與其說家康捨不得讓兩歲的萬千代丸當人質，倒不如說他巴不得於義丸從眼前消失。

十二月十二日，於義丸與作左衛門十三歲的長男仙千代（元服後為本多成重）、石川數正次男勝千代（元服後為石川康勝）前往大坂城。雖說是作為人質，但實際上是成為秀吉的養子，秀吉在這一天成為於義丸的養父，並幫他取名為：「羽柴三河守秀康」。

「秀」是出自於秀吉，「康」則出自於家康，另外還敘從五位下侍從的官位以及位在河內一萬石的領地，對於初見面的秀康而言，秀吉給的禮物委實過於貴重，更重要的是，養父秀吉比生父家康更讓他感受到親情的溫暖。

秀康一如其名，兼有秀吉的聰明及家康的剛毅。但是對秀吉而言亦有棘手之處，秀康由於長年不被家康關愛，自尊心比常人來得熾盛，只要下人的言行舉止稍有怠慢，就可能因此斷送性命。

與秀吉的養子們以及家康的繼承人秀忠相比，很明顯能看出優劣所在，但是秀康的能力卓越似乎不見得是好事。對秀吉而言，秀康的生父是家康，讓他繼承自己打下的江山何其危險，是個令人無法放心的養子；對家康而言，長年被他漠視的秀康，如今已成長為一個能力優秀的武將，他會不會出於對自己的怨恨而倒向豐臣家是誰也說不準的事。

天正十七年秀吉的長男鶴松誕生後，秀康的地位更為尷尬，秀吉不得不考慮送走秀康。恰好此時關東名門結城氏缺乏繼承人，在小田原之陣期間秀吉與結城家當主結城晴朝說定秀康娶晴朝之女、繼承結城家，結束後便解除秀康與秀吉的養父子關係，成為結城秀康，不過秀康並未前往關東，依舊留在秀吉身旁。

秀吉死後，大坂、江戶籠罩戰雲，似乎隨時一觸即發。家康對於即將引燃的戰役已胸有成竹，然而秀康是個棘手的人物，讓秀康參戰的話多半會立下戰功，提高他成為繼任將軍的聲望，如此一來會對家康屬意的秀忠構成威脅。要避免這種情形發生的最好方法是不讓秀康參戰，只要秀康不參戰就不會有立功的機會，自然也不會累積聲望，也就不至於威脅到為人謙和但實際上沒有作戰天分的秀忠。

上杉征伐是家康引蛇（指石田三成）出洞的一齣戲，家康無意征討上杉，但這一點又不能讓響應上杉征伐的豐臣武將看出，他因此在小山評定演了一齣掉頭迴轉的戲。不過小山評定只搞定豐臣武將，並沒有搞定秀康，家康只好再加碼演出把秀康釘在關東不讓他參戰的戲，那就是說動秀康使其留守下野宇都宮牽制上杉景勝進入關東。家康講得很好聽，說上杉景勝有可能趁著家康在關原與石田三成決戰出兵直搗江戶，唯有結城少將（關原前夕秀康的官位為參議，在此之前為左近衛權少將）能夠抵擋上杉家。

家康的一番言詞讓秀康頓時覺得自己受到重視，主動放棄前往關原參戰，然而事實果真如家康所言嗎？上杉景勝身為五大老之一且坐擁會津百二十萬石，其武力的確不容小覷，只是家康早已命伊達政宗、最上義光在北邊牽制上杉，上杉光是要守住會津盆地與這兩家對抗已備感吃力，根本無餘力進軍關東平原。關原之戰不到一天就結束，上杉家亦如家康的預料受伊達、最上牽制，聽從家康之言留守宇都宮的秀康根本是閒置該地。

雖然秀康在關原之戰毫無戰功，家康依然給他越前六十八萬石領地（後來增加到七十五萬石），秀康以北庄城（後來的福井城）為居城，慶長十二（一六〇七）年閏四月八日秀康病逝北庄城，享年三十四歲，死因據說是梅毒引起的衰弱症。

二、松平忠直改易

文祿四(一五九五)年六月十日，秀康長男、家康長孫仙千代誕生。慶長八(一六〇三)年仙千代隨秀康前往江戶拜謁秀忠，秀忠不敢怠慢(其實是不敢怠慢秀康)，以三河守稱之，兩年後叙任從四位下侍從兼三河守。慶長十二年秀康病逝，十三歲的仙千代成為越前七十五萬石的主人，年幼的他尚無直接統治領地的能力。慶長十六年，仙千代娶秀忠三女勝姬(之後的天崇院)，同時元服改名忠直。

然而，越前在筆頭家老與忠直生母之弟的治理下，因為利益及其他意見對立而引起御家騷動，騷動之大引起大御所家康及將軍秀忠介入關注。依照之後的慣例藩裡發生御家騷動，藩主多半會受到隱居或改易的處分，但是在當時並無前例因此家康和秀忠只處分當事人，或許更主要的原因還是在於秀康吧！

忠直在大坂冬之陣進攻真田丸，所犯下的戰略錯誤導致東軍犧牲慘重，忠直因而遭致家康的斥責。誓言雪恥的忠直在夏之陣投下一萬五千兵力，於前線與真田幸村對陣，以先鋒的身分與幸村同歸於盡的意味十分濃厚。開戰之後忠直隊很快遭到幸村隊突破，雖然最終忠直手下的鐵砲組頭西尾宗次取下幸村首級，但那是幸村氣力放盡後猶如強弩之末任人宰割之故。

之後忠直隊還率先攻入大坂城，再加上事前已取得幸村首級，忠直認為此役最大功勞者非己莫屬，可是戰後的論功行賞卻大出忠直意料，家康並未加封忠直領地。忠直受到刺激，導致性情丕變，元和七（一六二一）年稱病不到江戶參勤交代，翌年打算殺害正室勝姬，他認為勝姬是秀忠派來監視他的言行，最後兩位侍女代替勝姬死在忠直之手，忠直甚至出兵討伐與江戶友好的家臣。

忠直的脫軌行為傳到江戶就成了忠直發狂之說，元和九年，秀忠下令忠直隱居，流放到豐後府內藩，寄居在當時該藩藩主竹中重義之下，只給予五千石。忠直正室勝姬與長男仙千代則被秀忠召回江戶，仙千代雖不至於受忠直的連累，但還是免不了改易他地的結果。

三、松平忠昌入主

越前宰松平秀康共有六子（四男早逝），其次男虎松生於慶長二（一五九七）年十二月，與長男仙千代是同母兄弟。慶長十二年虎松前往江戶拜謁大御所家康和將軍秀忠，與叔父賴房一同成為家康側室阿梶（出身關東名門太田氏）的義子，因這層關係成為下總姉崎一萬石大名。

虎松於大坂夏之陣前夕元服，蒙秀忠賜以偏諱改名忠昌，在夏之陣斬下數顆首級，適逢戰後德川賴房轉封水戶，忠昌便轉封賴房的舊領常陸下妻，石高為三萬石。家康辭世後忠昌兩度轉封，分別轉封至信濃松代及越後高田，石高各為十二萬石和二十五萬九千石。

寬永元（一六二四）年四月，三代將軍家光讓忠昌入主越前，石高增至五十二萬五千石，七月進入越前北庄城的忠昌將該城改名福井城。忠昌還把越前分為數藩，分給其他幾位異母弟弟：

秀康三男松平直政，大野藩五萬石。

秀康五男松平直基，勝山藩三萬石。
秀康六男松平直良，木本藩二萬五千石。
（後來三支藩獨立成為大名）

至於自兄長忠直時就由幕府派來的附家老本多成重（本多作左衛門長男），則讓他獨立成為丸岡藩大名，石高四萬六千石。經過這樣七扣八扣，到幕末時期松平慶永即位時剩下三十二萬石。

四、幕末四賢侯松平春嶽

忠昌的血統到第九代藩主宗昌病逝後斷絕，第十代藩主從忠昌五弟松平直基的子孫中選出，名為松平宗矩。寬延二（一七四九）年十月，宗矩病逝後越前藩出現繼承危機，九代將軍家重下令讓御三卿之一一橋宗尹的長男重富繼承越前藩，之後越前藩又出現幾次繼承危機。

十五代藩主松平齊善（德川家齊二十二男）早逝後，另以御三卿之一田安齊匡的八男錦之丞為養子，天保九（一八三八）年，十一歲的錦之丞提前元服，由將軍家慶賜以偏諱，改名慶永，同時以春嶽為號，是為第十六代藩主。春嶽元服後即與熊本藩主細川齊護三女勇姬（雖說是三女，卻是唯一長大成人的女兒）訂下婚約，隨即得到幕府許可。

雙方訂下婚約後，勇姬罹患疱瘡（天花），雖然痊癒卻在臉上留下疤痕，熊本藩主細川齊護甚感內疚，派出使者向春嶽提出取消婚約。可是春嶽以既已訂下婚約即便殘廢也要履行為由，堅持迎娶勇姬，而且春嶽並非隨口說說，在勇姬患病期間春嶽便多次命人送去慰問品及親筆信。

天保十四（一八四三）年，春嶽首度返回領國越前，此時越前藩的狀況是負債九十萬兩，差不多是全藩十年的收入，為了改革藩政，春嶽讓近侍御用役中根雪江主持改革，並啟用藩內的年輕才俊，如橋本左內、村田氏壽、三岡八郎等人。中根雪江提議將所有越前藩士三年內的俸祿減半，基於當時藩政改革大多是節流重於開源，中根提出這種主張算是稀鬆平常，只是苦了一般藩士。春嶽內心深感過意不去，於是也提出自身開銷連續削減五年的儉約政策，雖然依舊不脫節流的範圍，但是改革者能夠拿自己開刀，與大部分的改革都是「改革別人，不改革自己」相比，春嶽展現出十足的誠意，包括進門的正室勇姬及奧向也必須遵從春嶽勵行的削減開支。既然藩主及其正室都帶頭減俸，儘管節流式的改革多半成效有限，也沒有招致藩士太大的反彈。

嘉永二（一八四九）年十一月九日，春嶽與勇姬完婚，這年春嶽廿二歲，勇姬十六歲。乍看之下，福井與熊本一在北陸，一在九州，是個相隔千里的婚約，不過其實兩人在婚禮前都各自住在江戶的上屋敷裡，越前藩江戶上屋敷在現今千代田區大手町東京地鐵大手町驛一帶，熊本藩江戶上屋敷亦在千代田區丸之內一丁目附近（現 OAZO 大樓），因此根本近在咫尺。

在勇姬嫁入越前之前的該年九月十日，春嶽透過中根雪江以書信傳達希望勇姬嫁入後能遵守的四點原則：

一、重視越前松平家家風，勵行儉約。

二、不向要好的女中吐露私情，不可因為個人的心情及氛圍而做不必要的閒聊，此為夫婦不和的開端，長久下來恐有夫婦失和之虞。

三、細川家雖是名門世家，但是勇姬既已嫁入，本身自不待言，侍女也應該學習松平家的家風。

四、據實將當下越前松平家財務吃緊的狀況傳達給勇姬及其跟隨而來的侍女，務必請她們學習質樸的家風。

安政四（一八五七）年三月春嶽派出藩士村田氏壽前往熊本，聘用橫井平四郎（號小楠）為政治顧問，幾經波折，小楠終於在翌年三月前往福井於藩校明道館任教。橫井小楠是幕末時期日本第一流的思想家，現於國際日本文化研究中心任職的準教授磯田道史在其著作提到，坂本龍馬的《船中八策》及《新政府綱領八策》等構想其實都是脫胎自橫井小楠，並舉出勝海舟於《冰川清話》的自述：

「我至今為止見識過兩位令人敬畏的人物，他們是橫井小楠和西鄉南洲。」

西鄉南洲即是西鄉吉之助，把橫井和西鄉相提並論，不難看出在勝海舟心目中橫井小楠的評價有多崇高！勝海舟在這段話後又提到，他曾向幕府閣老進言若是橫井的思想配上西鄉的行動力，會令我們（指幕府）坐立難安，可惜勝海舟的進言不被幕府當一回事。

從此刻起到維新回天將近十年間，小楠皆以政治顧問的身分為春嶽提出建言，特別是春嶽在文久年間幕政改革被推舉為新設立的政事總裁職（相當於大老）後，他的發言（如四侯會議提出的公議政體論）多半包含橫井小楠思想的成分。

萬延元（一八六〇）年八月十七日，結婚超過十年的勇姬為春嶽生下一女，命名為安，即春嶽的長女安姬。初為人父的春嶽難掩內心喜悅，不過安政大獄對他的隱居謹慎處分尚未解除，一直到文久年間幕政改革出任政事總裁職後才解除。而在安政大獄處分期間，藩主之位已由支藩糸魚川藩主松平直廉以春嶽養子的身分繼承，為第十七代越前藩主。春嶽在解除謹慎處分後，因不具藩主身分無須待在江戶，因此於文久三（一八六三）年三月六日獲准返回福井，三月廿三日回到福井見到從未見過的長女安姬。

可惜安姬於慶應元（一八六五）年五月十五日年僅六歲夭折，產下安姬已廿七歲的勇姬再也沒為春嶽生下一子半女。維新回天以前春嶽雖與側室陸續生下二女，也不幸先後夭折。維新回天後，春嶽與一位名為婦志的側室生下二男四女，全部平安長大成人，都有各自的歸宿。明治二十(一八八七)年,勇姬罹患肺炎去世,三年後春嶽因肺水腫辭世,兩人合葬於越前松平家菩提寺海宴寺(東京都品川區南品川五丁目)。

越前藩歷代藩主

代數	藩主	官位	出自
初代	松平秀康	正三位權中納言	德川家康次男
二代	松平忠直	從三位左近衛權中將	松平秀康長男
三代	松平忠昌	正四位下參議	松平秀康次男
四代	松平光通	從四位下左近衛權少將	松平忠昌次男
五代	松平昌親	從四位下左近衛權少將	松平忠昌五男
六代	松平綱昌	從四位下左近衛權少將	松平忠昌長男松平昌勝長男
七代	松平吉品	從四位下左近衛權少將	松平昌親再襲
八代	松平吉邦	從四位下左近衛權少將	松平昌勝六男
九代	松平宗昌	從四位下侍從	松平昌勝三男
十代	松平宗矩	從四位下左近衛權少將	秀康五男直基之孫知清次男
十一代	松平重昌	從四位上左近衛權少將	德川吉宗四男德川重尹長男
十二代	松平重富	正四位下左近衛權中將	德川宗尹三男
十三代	松平治好	正四位下左近衛權中將	松平重富長男
十四代	松平齊承	從四位上左近衛權少將	松平治好三男
十五代	松平齊善	正四位下左近衛權中將	德川家齊二十四男
十六代	松平慶永	從一位大藏大輔	德川齊匡八男
十七代	松平茂昭	從二位越前守	越後糸魚川藩主松平直廉

會津藩

種類：親藩・御家門
總石高：二十三萬石
藩廳所在地：若松城
極位極官：正四位上左近衛中將

在江戶城的伺候席：溜間
大名格式：城主
支藩：無
著名藩主：保科正之、松平容保

一、將軍的私生子

會津藩初代藩主保科正之是二代將軍秀忠的四男，三代將軍家光的異母弟。慶長十六（一六一一）年五月七日，保科正之生於江戶城外神田，幼名幸松，生母名為靜（之後稱為淨光院），是秀忠奶媽大姥局（今川家家臣岡部貞綱之女）底下的侍女。秀忠一生共有四男五女，唯獨幸松與秀忠其他子女不同母親，以今日眼光來看，幸松是秀忠與出軌對象靜生下的私生子。

秀忠雖貴為將軍，但私生子一事可不能讓生父大御所家康及御台所阿江（之後稱為崇源院）知情，因此幸松出生不久就被送往江戶城北之丸邸，由穴山梅雪的未亡人見性院代為撫養。穴山梅雪即穴山信君，是武田二十四將之一，本能寺之變前夕與家康上洛接受信長的招待，逗留於堺期間發生本能寺之變，返回領地途中遭到一揆襲擊死去。

見性院為已故戰國名將武田信玄的次女，生母為三條夫人，本能寺之變後未幾，穴山梅雪遭一揆殺害，見性院與穴山生下的繼承人穴山勝千代亦在本能寺之變後五年死去，甲斐名門穴山氏因而斷絕。此後家康將五男萬千代（元服後命名武田信吉）過繼甲斐武田氏，頗有延續甲斐武田氏命脈之意，只是武田信吉在關原之役後不久早逝。

而見性院及其異母妹信松尼（信玄六女松姬，生母為油川氏）避居於武藏國八王子（東京都八王子市）撫養幸松，元和二（一六一六）年信松尼死去後，見性院透過管道找上沒有子嗣的信濃高遠藩主保科正光，由他收幸松為養子，於是幸松及其生母靜移居到信濃高遠城（長野縣伊那市高遠町）。

秀忠雖貴為將軍，但是出於對御台所的敬畏，終其一生都未給予靜側室的身分，直到寬永九（一六三二）年一月廿四日秀忠去世為止也未曾與幸松相認，對幸松而言想必是終生的遺憾。

寬永八年十月七日，幸松的養父高遠藩主保科正光去世，十一月十二日幸松襲封高遠藩主，改名保科正之，並敘任從五位下肥後守，此時正之廿一歲。翌年一月廿四日二代將軍秀忠去世，三代將軍家光立即沒收同母弟駿河大納言德川忠長五十五萬石的領地，將其流放到上野國高崎。寬永十年十月廿六日，幕府下令德川忠長自盡，結束家光與忠長自孩提時期的長年紛爭。

家光繼任將軍後，某次前往目黑鷹狩，當日帶著五名隨從宿於蛸藥師成就院（東京都目黑區下目黑三丁目）。不知是否有意，住持親口向家光透露正之為其異母弟，家光不禁對這位身世坎坷的異母弟產生憐憫之情。寬永十一年七月家光率領三十萬大軍上洛，任命保科正之與之同行。

寬永十三年七月，出羽山形藩主鳥居忠恒病逝，未在死前向幕府通報指定繼承人而受處分（即末期養子[13]的禁令），家光遂讓正之入主出羽山形（石高二十萬石），至於鳥居家的處置，念在忠恒祖父元忠的忠心，便以忠恒異母弟忠春為繼承人，轉封至正之原本的領地

13 末期養子：沒有繼承人的藩主在事故或重病瀕死之際，為防斷絕之虞臨時收養的養子，可稱一種緊急應變措施。江戶時代初期，幕府為削弱大名勢力，只要諸藩藩主死去沒有繼承人便會在藩主死後改易，病危前收養的養子必須在藩主去世前向幕府通報並得許可才行，因此前三代將軍期間有不少藩因此遭到改易。

信濃高遠（石高三萬二千石）。寬永二十年五月，會津藩主加藤明成因數年前發生的會津騷動而被幕府追究，遭改易的處分，家光旋即讓正之轉封到會津，石高提升至二十三萬石，此時正之三十三歲。

慶安四（一六五一）年四月廿日，年僅四十八歲的家光病逝，臨終前家光以託孤的心情對正之說道：

「肥後（正之的官位），宗家有勞你費心。」

並委任正之擔任後見職，輔佐年僅十一歲的四代將軍家綱。

此後十餘年，保科正之以此身分與當時的幕閣酒井忠勝（曾任大老）、松平信綱、阿部忠秋一同主政。保科正之一改前三代將軍的武斷政治，代之以推進文治政治，其具體作為包含：緩和末期養子的制度（承認藩主在病篤前收養的十七歲到五十歲之間的養子之繼承資格）、禁止殉死、廢止大名證人制度（除大名正室和世子外，家老之子無須前往江戶當人質）。

明曆三（一六五七）年一月發生明曆大火[14]，災後正之將江戶市區主要幹道拓寬，重新規劃江戶市區。並以時代承平為由拒絕重建江戶城天守閣，將這筆經費運用在設立救急醫療制度、針對九十歲以上高齡者支付扶持米、禁止墮胎等社會福利政策上。

正之在承應二（一六五三）年十月叙任從三位左近衛權中將，但他以從三位屬於御三家為由固辭不受，只接受左近衛權中將的官職。十二月改為叙任正四位下，維持先前的左近衛權中將及肥後守，成為之後歷任會津藩主的官位官職，習慣上會津藩主稱為會津中將。

寬文九（一六六九）年，正之讓位給四男正經後隱居，寬文十二年十二月十八日，正之於江戸三田的藩邸去世，享壽六十二歲。死後屍體運回會津，延寶三（一六七五）年二代藩主正經在正之的墓旁興建以正之為主祭神的土津神社（福島縣耶麻郡猪苗代町），神號為土津靈神。

正之生前幕府曾勸他改姓松平，但正之堅持終生使用保科之姓，以不忘保科家的養育之恩，直到三代藩主正容（正之六男）才改姓松平。

14 名曆大火：亦稱振袖火事，是江戸時代損失最慘重的火災。

二、會津家訓十五條

寬文八年四月十一日，五十八歲的正之制定歷代會津藩主必須遵守的《會津家訓十五條》，其全文內容如下：

一、我會津藩是為守護將軍家而存在，歷代藩主若對將軍家懷有二心即非我子孫，家臣可以不用服從這樣的藩主。

二、不可懈怠武備，選士以此為本，不可紊亂上下分際。

三、應敬兄愛弟。

四、婦人女子之言不可盡信。

五、應重主畏法。

六、應砥礪家中風紀。

七、不可行賄諂媚。

八、不可有所偏袒。

九、選士不可選善於逢迎諂媚、言詞巧妙毫無誠意。
十、賞罰不可讓家老以外者參加，讓地位不夠者加入亦應嚴格揀選。
十一、不可讓近侍者告知人之善惡。
十二、政事不可因利害而違背道理，評議不可挾私意拒絕別人進言，應毫無隱藏讓家臣為所欲言，儘管有所爭執也不可以己意介入。
十三、犯法者不可寬宥。
十四、社倉乃為民而設，是永久之利也。遇上飢荒應開倉救濟，除此之外不可做他用。
十五、藩主若失其志而好遊樂，日益驕奢，使士民流離失所，有何面目領導其民？務必向幕府提出隱居。

《會津家訓十五條》不僅告誡正之的子孫，同時也告誡之後的會津藩主（即便以養子身分繼承藩主），不可好逸惡勞、放縱驕奢，若讓民生塗炭必須自請處分。從家訓中不難看出正之對子孫的期望之深，指望他們能依循家訓指示成為明君。正之將最重要的內容置於第一條，此條透露會津藩存在的使命在於守護將軍家，歷代藩主即便實踐了其餘十四條的內容，但只要未盡守護將軍家的職責，正之即認為沒有資格做他的子孫，會津藩家臣無須服從不忠於將軍家的藩主。每當新藩主繼任時，從家老到最底層的藩士都要出席新藩主宣示服膺會津家訓的場合。幕末時期，松平春嶽就任幕府新設的政事總裁職，要松平容保擔任京都守護職，容保和家臣討論後決定拒絕這一吃力不討好的職務，但春嶽豈能讓容保拒絕？便引用會津家訓第一條，強迫松平容保接受京都守護職。

三、家系的轉換

第七代藩主松平容眾於文政五（一八二二）年二月廿九日，以二十歲之齡英年早逝，無兄弟亦無子女可繼承，正之的血統因此斷絕。在容眾繼位之初，會津藩家老田中玄宰已和尾張藩御連枝美濃高須藩主松平義和談妥，萬一容眾沒有繼承人就由松平義和的三男慶三郎繼承。

田中玄宰不久因病去世，松平容眾也一如田中預料未有子女而早逝，因此慶三郎於容眾病逝當年以養子身分成為第八代會津藩主，同時改名松平容敬。文政八年敘任左近衛權少將，兩年後敘任正四位下左近衛權中將。

容敬成為藩主後不久，於文政七年娶秋田藩主佐竹義和之女節姬為正室，隔年節姬病逝。文政十一年容敬再娶加賀藩主前田齊廣之女厚姬為繼室，之後生下一女隨即夭折，對繼承人的出現期待甚深的容敬只能寄望於迎娶側室。容敬的兩位側室為他生下二男二女，可惜都在生下後不久夭折。容敬無奈之下收養繼承藩祖保科正之養父家（藩祖為正之養父保科正光之弟正貞）的上總飯野藩主保科正丕之女照姬為養女。據女性史研究家柴桂子的專書《會津藩的女性們》（会津藩の女たち）一書記載，照姬精通書道、茶道、香道以及武家禮儀，和歌和琴藝亦甚專精。由於容敬只有照姬這一養女，因此勢必得為照姬招贅，容敬決定收養同母兄美濃高須藩主松平義建的七男銈之允為養子，在血緣上銈之允等於是容敬的侄子，關係最為親近。

天保十四（一八四三）年三月十三日，美濃高須藩主松平義建答應同母弟容敬提出的要求，將銈之允送往會津。但是命運捉弄人，這一年閏九月十日容敬五女敏姬於若松城出生，容敬不得不改變原先的計畫讓銈之允與敏姬成親。

弘化三(一八四六)年四月廿七日,十一歲的銈之允正式成為容敬的養子,同時元服改名容保,同年十二月十六日容保叙從四位下侍從兼若狹守。嘉永二(一八四九)年閏四月二日,為避免照姬處於尷尬立場,容敬將照姬遠嫁豐前中津藩主奧平昌服。

嘉永五年二月十日松平容敬去世,享年四十九歲。同年閏二月廿五日,容保成為會津藩第九代藩主,官職由若狹守轉為肥後守,同年十二月十六日再晉升左近衛權少將。

照姬嫁到中津後始終與夫婿感情不睦,養父去世後提出離緣(離婚之意),回到會津藩位於江戶的上屋敷(和田倉門邸,東京都千代田區皇居外苑和田倉噴水公園附近)。

四、「王城護衛者」松平容保

安政三(一八五六)年九月,廿一歲的容保與十四歲的敏姬成親,完成養父的遺願。關於容保的正室敏姬,似乎沒有太多史料記載,只記載她在與容保完婚前罹患疱瘡,因為堅持只看漢醫而延誤治癒的機會，與前文提及的春嶽正室勇姫一樣在臉上留下疤痕。不同的是，勇姫罹患疱瘡後還活了四十餘年，敏姫與容保的婚姻僅維持五年，於文久元（一八六一）年十月廿二日香消玉殞。

一年後，在家臣的奔走下有意讓容保娶加賀藩主前田慶寧（前述的齊廣長孫）長女禮姫為繼室，容保躊躇再三終於答應，並得到幕府許可。可是容保於同年十二月應允擔任京都守護職，率領藩軍長駐京都而延期婚約，之後因維新回天、容保成為朝敵，這樁婚事就不了了之。

容保在文久三年的八·一八政變、元治元（一八六四）年池田屋事件以及禁門之變中，統領京都所司代、京都町奉行、伏見奉行所、京都見廻組、新選組等組織驅逐鬧事的攘夷派志士，致力於維持京都治安，讓文久二、三年充斥於京都的天誅事件逐漸平息下來，深得京都民眾愛戴。當時京都傳唱如下一首俗謠：

会津肥後守さま（會津肥後守大人）

京都守護職つとめます（就任京都守護職）

内裏繁昌で公家安堵（御所繁榮，公家安心）
トコ世の中　ようがんしょ（世道太平真正好）

已故的歷史小說家司馬遼太郎曾寫過以擔任京都守護職的容保為主人公的短篇小說《王城護衛者》（王城の護衛者），將容保形容為京都這座千年古都王城的護衛者，讓天皇、公卿朝臣及一般民眾免於攘夷派暴力血腥的暗殺恐懼之中。

明治元（一八六八）年九月廿二日會津藩降伏，結束會津戰爭，僅次於慶喜的第二號朝敵容保儘管有萱野權兵衛、神保內藏助、田中土佐等家老切腹扛起一切責任，容保依舊被當成戰犯送往東京監禁。此後容保歷任日光東照宮宮司[15]、土津神社祠官及二荒山神社（栃木縣日光市山內）宮司，昔日英氣煥發、有稀世美男子之稱的京都守護職松平容保如今飛入尋常百姓家，淪為管理神社的人員。儘管如此落魄，容保脖子上掛著的錦囊始終不離身。錦囊裡有著已泛黃的紙張，那是先帝（孝明天皇）親筆的宸翰和御製，嘉勉容保在八・一八政變及禁門之變傑出的表現，擔任京都守護職是容保一生中最榮耀的時刻。

會津藩歷代藩主

代數	藩主	官位	出自
初代	保科正之	正四位下左近衛權中將	德川秀忠四男
二代	保科正經	從四位下筑前守	保科正之四男
三代	松平正容	正四位下左近衛權中將	保科正之六男
四代	松平容貞	從四位下左近衛權少將	松平正容八男
五代	松平容頌	正四位上左近衛權中將	松平容貞長男
六代	松平容住	從四位下肥後守	松平容貞之弟容詮次男
七代	松平容眾	從四位下左近衛權少將	松平容住次男
八代	松平容敬	正四位下左近衛權中將	美濃高須藩主松平義和三男
九代	松平容保	正四位下左近衛權中將	美濃高須藩主松平義建六男
十代	松平喜德	從四位下侍從	德川齊昭十九男

15　宮司：有神官、巫女等神職人員的神社之長。

彥根藩

種類：譜代
總石高：三十五萬石
藩廳所在地：彥根城
極位極官：正四位上掃部頭
在江戶城的伺候席：溜間
大名格式：城主
支藩：彥根新田藩（一萬石）
著名藩主：
井伊直政、井伊直孝、井伊直弼

一、極盡坎坷的命運

彥根藩初代藩主井伊直政是有名的「德川四天王」之一，不過，井伊氏並非松平氏譜代家臣，在家康之前井伊氏以遠江國井伊谷城（靜岡縣濱松市北區引佐町）為居城，南北朝對立期間曾庇護後醍醐天皇的皇子宗良親王，因此歷代井伊氏皆以「勤王先驅」自豪。

「觀應擾亂」（一三四九～五二）期間今川氏短暫取得遠江守護職，南北朝統一後遠江守護改由斯波氏世襲，井伊氏從此受其支配，遇征戰有配合出兵之義務。應仁之亂後，駿河守護今川氏親趁機出兵遠江，井伊氏出兵幫助尾張・遠江守護斯波義達，但斯波氏在應仁之亂時因內戰耗去不少兵力，加上從尾張到遠江的戰線過長（與今川氏相比尤其如此），補給不易。逐漸在遠江爭奪戰居於劣勢，最後撤出遠江，遠江一國及遠江守護職再度為今川氏奪回。

斯波氏撤退後，井伊氏孤立無援，井伊谷城最終為今川氏親攻下，此時的井伊氏家督是井伊直平，二〇一七年ＮＨＫ大河劇《女城主直虎》的故事設定便是從井伊直平開始。由於曾經與今川氏為敵，降伏後的井伊氏必須擔任今川氏作戰的先鋒，這點與後來的松平氏相同。不過井伊氏的勢力比松平氏更弱小，犧牲也較松平氏慘烈，井伊直平的長男直宗（直虎祖父）、次男直滿（直政祖父）、四男直義、五男直元都在今川氏擴張的過程中死去。

接下來井伊氏家督只能由直平長孫直盛（直宗長男）擔任，在今川氏親五男今川義元於永祿三（一五六〇）年五月十九日上洛（也有一說是純粹為討伐織田氏）的桶狹間之戰中，井伊直盛與松平元康擔任先鋒，井伊直盛承受信長的襲擊與家臣一起戰死，隨後今川義元亦受到信長襲擊死去。

直盛死後，井伊氏的男性繼承人只剩堂弟直親（直滿長男），於是他被推舉為家督。直親於翌年二月十九日生下一男，取名虎松，虎松的出生為井伊家男性接連短命戰死的噩運帶來希望。可惜好景不常，今川義元的後繼者今川氏真聽信讒言，認定井伊氏會步上松平元康的後塵而召井伊直親到駿府城，直親一入駿府城即被今川氏真埋伏的兵馬殺害，井伊谷的領地也被今川氏真沒收。男丁只剩二歲虎松的井伊氏又再次面臨滅族的危境，虎松的曾祖父井伊直平於永祿六年高齡辭世，直盛長女次郎法師（直虎）不得不一肩扛起撫養虎松的重責。

今川氏真殺害井伊直親後為免夜長夢多，派兵追殺虎松及直虎以徹底剷除井伊氏。為了保護年幼的虎松，直虎遠走三河，避居在三河國鳳來寺（愛知縣新城市門谷字鳳來寺），為尋求依靠，虎松的生母奧山氏改嫁德川家康的家臣松下清景，井伊虎松也因此改名松下虎松。

二、武田赤備的繼承者

天正三（一五七五）年二月十五日，家康鷹狩途中休息時，松下清景帶著十五歲尚未元服的虎松拜見家康。家康讓虎松恢復井伊原姓，賜予三百石領地，將他改名萬千代，命他擔任自己的小姓。

天正十年九、十月間，廿二歲的萬千代元服，改名兵部少輔直政。家康在「天正壬午之亂」取得甲斐、信濃南部等舊武田家領地，家康將這些領地內的武田家舊部屬全部納入直政麾下，直政得到家康的同意，將自己指揮的部隊裝備——包括甲冑、刀、槍、旗指物[16]、馬鞍、馬鐙、馬鞭——統一漆成赤紅色。在戰場上朱紅色過於顯眼，容易成為敵軍狙擊的目標，必須是極為勇猛善戰的將領才能夠享有此殊榮，這即是所謂的「赤備隊」。過去武田家「赤備隊」由山縣三郎兵衛昌景率領，令武田家周遭的敵對勢力為之膽寒，三方原之戰時德川家也領教過山縣赤備的威力。如今德川家吸收武田家舊部屬，由井伊直政的部隊穿戴漆上朱紅色的裝備，率領令敵人聞之喪膽的赤備隊。

小牧・長久手之戰是成立不久的井伊赤備隊揚名立萬之機。天正十二年四月九日，家康與直政共六千三百兵力配置在池田恒興・元助父子及森長可等隊的前線。森長可與直政

16　旗指物：戰爭時插在背上的旗印。

率先交戰，森長可被直政的鐵砲隊擊斃，森隊潰敗。接著直政率領全軍攻向池田隊本陣，池田隊大敗，池田恒興本人也身負重傷，最後被家康手下刺死。直政及其赤備隊在長久手之戰勇猛無比，因而得到「井伊的赤鬼」、「人斬兵部」等外號。

直政在之後的小田原之陣及奧州九戶政實之亂中亦接連立下戰功，家康入主關東後對長年跟隨他的譜代家臣進行封賞，直政被封在上野高崎，石高十二萬石，這是家康給譜代家臣最多的賞賜，也是對直政的忠誠及勇猛的肯定。關原之戰期間德川家武將幾乎都作壁上觀，唯有直政及其女婿松平忠吉（家康四男）對撤退的島津家緊追不捨，雖然擊斃護主（指島津義弘）心切的島津豐久（義弘四弟家久長男），緊追不捨的二人也雙雙中彈墜馬。

關原之戰結束後，直政轉封近江佐和山城，石高十八萬石，松平忠吉則由武藏忍城（埼玉縣行田市）十萬石晉升至尾張清洲五十二萬石。眾所周知，近江佐和山城正是關原之戰西軍實際統帥石田三成的居城，讓直政成為佐和山城的新主人除了考慮到近江地理位置重要之外，也有期望直政能像三成效忠豐臣政權那樣為德川政權效命之寓意。只是關原的槍傷縮短直政（還有忠吉）的性命，慶長七（一六〇二）年二月一日，入主佐和山城一年多的直政因槍傷傷重而逝，享年四十二歲。

之後由十三歲的長男萬千代繼任，改名直繼。慶長八年家康下令於面向琵琶湖的彥根山另築新城，只要此城一完成，佐和山城就將廢棄。慶長十一年彥根城完成部分工程，直繼遷入彥根城，藩名從佐和山藩改為彥根藩。

直繼自幼體弱多病，文弱氣息很難讓赤備隊的家臣對他心悅誠服，幾年後的大坂之陣直繼甚至無法上陣，只得由異母弟直孝統率井伊赤備參戰。夏之陣結束後家康改讓直孝繼承家督，從十八萬石分出三萬石給直繼，轉封至上野安中藩，名字也從直繼改成直勝。

之後直勝的子孫從上野安中轉到三河西尾，再轉到遠江掛川，最後在越後與板安定下來，石高介於二萬石到三萬五千石之間。至於彥根藩從此由直孝的子孫世襲，雖然成立上野安中藩後石高降至十五萬石，在秀忠、家光在位期間迭有增封，成為三十萬石（三十五萬石格）的譜代筆頭。

三、專出大老的家族

江戶幕府大約三百藩，可分為親藩、譜代、外樣三類（具體說明請參見第二部第一章），一般說來權、位、祿不會兼得，親藩得其位而失權、祿；譜代得其權而失位、祿；外樣得其祿而失權、位。不過，彥根藩應該是例外中的例外，三十五萬石的石高不僅是譜代筆頭，即便置於親藩和外樣亦不遜色（親藩中僅次於尾張和紀伊二藩；外樣則次於加賀、薩摩、仙台、熊本、福岡、藝州、長州、佐賀等藩）。

幕府重要職務如老中、若年寄、三奉行向來都由譜代包辦，這種情況直到幕末時期文久年間的改革才略有改變。井伊家幾乎從未擔任過老中和若年寄，他們直接擔任凌駕在老中和若年寄之上、屬於非常時期臨時設置的大老。相較於二萬五千石的譜代就有資格擔任老中，擔任大老的資格為十萬石以上的譜代，對俸祿普遍不高的譜代而言，十萬石門檻把大老資格限制在以下四家：

一、井伊家（彥根藩）

二、酒井雅樂頭家（上野前橋藩、若狹小濱藩、播磨姬路藩，非左衛門尉家酒井忠次之後）

三、土井家（下總古河藩）

四、堀田家（下總古河藩）

以上四家中土井家、堀井家各出一位大老（土井利勝、堀田正俊），酒井雅樂頭家出了四位（酒井忠世、忠勝、忠清、忠績），井伊家則出了六位（井伊直孝、直澄、直興、直幸、直亮、直弼），五代將軍綱吉以後的大老除幕末時期的酒井忠績外，皆出自井伊家。由於大老可專斷一切，與承平時期的四到六名老中合議制截然不同，加上半數大老皆出自井伊家，而井伊家又是譜代筆頭，因此井伊家經常給人乾綱獨斷、權力凌駕於將軍之上的印象，特別是下一節將提到的幕末大老井伊直弼。

四、「井伊的赤鬼」井伊直弼

幕末時期以大舉彈壓勤王志士聞名的井伊直弼，是其生父井伊直中的第十四個兒子。在正常情形下，繼承藩主的機緣很難降臨在排行十四的兒子身上，若是送給欠缺男性繼承人的藩主當養子則另當別論。直弼的生父直中立三男直亮為繼承人後，將直弼上面扣除早逝的異母兄長全都送到別家當養子，使得直亮成為藩主後，家中只剩直元（直中十一男）和直弼兩個弟弟。

雖然如此，直弼也不認為有朝一日他會成為彥根藩主，天保二（一八三一）年五月廿五日父親死後，十七歲的直弼搬到彥根城三丸一處名為埋木舍（滋賀縣彥根市尾末町），在那裡學習國學、茶道、繪畫、和歌、能樂、禪學、兵學、劍術、槍術及居合術，十五年的時間各種學問無不精進。

直弼蟄伏期間命運女神終於對他微笑，弘化三（一八四六）年一月十三日，直亮的養子直元病逝，本身亦無繼承人的直亮只剩收養直弼為養子的唯一選擇。嘉永三（一八五〇）年十月一日，直亮病逝，三十六歲的直弼終於成為彥根藩第十六代藩主。

到此為止，儘管從排行第十四躍居譜代筆頭的藩主，在幕末政局中井伊直弼依舊默默無聞，名氣不僅比不上島津齊彬、伊達宗城、山內容堂這些外樣賢侯，也比不上老中首座阿部正弘。直到幕閣對將軍繼嗣問題和修好通商條約簽字問題束手無策，將直弼推上大老的寶座，井伊直弼才因而廣為人知。然而，真正讓井伊直弼之名流傳至今的(大部分是罵名)，應該還是在他大老任內興起的安政大獄。井伊直弼與其遠祖直政同樣被稱為「井伊的赤鬼」，直政是因率領赤備隊在戰場上一馬當先、衝在前頭；直弼則是因在安政大獄批准過多斬罪而得到相同的外號，言辭間滿滿的諷刺意味。有關安政大獄之始末，筆者將在第二部第五章介紹。

彦根藩歷代藩主

代數	藩主	官位	出自
初代	井伊直政	從四位下兵部大輔	井伊直親長男
二代	井伊直繼	從四位下兵部大輔	井伊直政長男
三代	井伊直孝	正四位上左近衛中將	井伊直政次男
四代	井伊直澄	從四位下掃部頭	井伊直孝五男
五代	井伊直興	正四位上掃部頭	井伊直孝四男井伊直時長男
六代	井伊直通	從四位下掃部頭	井伊直興八男
七代	井伊直恒	從四位下掃部頭	井伊直興十男
八代	井伊直治	正四位上掃部頭	井伊直興再襲
九代	井伊直惟	從四位下掃部頭	井伊直興十三男
十代	井伊直定	從五位下掃部頭	井伊直興十四男
十一代	井伊直禔	從五位下掃部頭	井伊直惟次男
十二代	井伊直定	從五位下掃部頭	井伊直定再襲
十三代	井伊直幸	從四位下掃部頭	井伊直惟三男
十四代	井伊直中	從四位下掃部頭	井伊直幸七男
十五代	井伊直亮	從五位下掃部頭	井伊直中三男
十六代	井伊直弼	從四位下掃部頭	井伊直中十四男
十七代	井伊直憲	從四位上左近衛權中將	井伊直弼次男

第三章 外様部分

薩摩藩

種類：外樣
總石高：七十七萬石
藩廳所在地：鹿兒島城
別稱：鹿兒島藩
極位極官：從四位上左近衛中將

在江戶城的伺候席：大廣間
大名格式：國持大名
支藩：佐土原藩（二萬七千石）
著名藩主：島津家久、島津重豪、島津齊彬

一、薩摩島津氏到薩摩藩

薩摩島津氏始祖惟住忠久，其生母是源賴朝的奶媽比企尼之女，即二代將軍源賴家岳父比企能員之妹，因為這層關係而被源賴朝賜以九州日向國近衛領島津莊的下司[1]職，後來成為該莊園的地頭[2]。島津莊是當時日本最大的莊園，全盛期幾乎佔了薩摩、大隅、日向三國的大半，於是惟住忠久便以島津為新姓氏。

之後島津忠久被賴朝封為薩摩、大隅兩國守護（日後再補上日向守護），和奧羽伊達氏及相馬氏同為少數從鎌倉時代一直存續到幕末的武家，伊達氏的領地進入江戶時代有所變更，只有相馬氏和島津氏從源賴朝時起，直至明治四（一八七一）年七月十四日廢藩置縣為止根據地都未曾變動過（相馬氏為中村町、島津氏以整個薩摩為根據地）。

島津氏前十四代家督都是嫡系相傳，然而嫡系在戰國時代遭到淘汰，第十五代貴久是島津忠良（號日新齋，是島津家足以和齊彬並稱的聖君）長男，出自島津氏歷史最悠久的分家伊作家。後來繼承另一分家相州家，最後成為本家奧州家的養子，於是伊作家取代奧州家成為島津宗家，完成薩摩的再次統一。

之後貴久削髮出家，將家督之位讓給長男義久，在義久還有貴久其他三個兒子——亦即義久的三個弟弟——義弘、歲久、家久（義弘的四弟，非義弘三男）的奮戰下，島津氏消滅據有大隅國的肝付氏、逐退日向國的伊東氏，收復宗家自始祖忠久以來的封地。義久四兄弟不因收復固有封地自滿，率領薩摩隼人[3]北上與九州另外二強——豐後大友氏及肥前龍造寺氏爭奪九州霸權，分別在天正六（一五七八）年的耳川之戰及天正十二年的沖田畷之

1 下司：日本中世紀在莊園或公領負責實務的下級職員。
2 地頭：日本中世紀為管理支配莊園而設置的職務。
3 隼人：古代薩摩地區的原住民，據說是薩摩武士的祖先。

戰大敗大友氏和龍造寺氏。九州三強的均勢因此失衡，義久萌生征服九州的野心。

就在島津氏只剩豐前和豐後的一部分（福岡縣和大分縣部分）即能統一九州之時，已完成日本大部分地區統一的原織田信長部將豐臣秀吉接受大友宗麟（名義鎮）的哀求，秀吉以島津氏違反他在天正十三年頒布的《惣無事令》[4]為由，於天正十五年三月動員超過二十萬大軍征討九州。島津氏與如此龐大的兵力短兵相接後自知不敵，島津氏所領陸續有武將開城投降，義久亦自行削髮以龍伯為法號，與部將伊集院忠棟前往泰平寺（鹿兒島縣薩摩川內市大小路町）求見秀吉、懇求原諒。

持續抵抗秀吉的島津義弘在義久的勸說下向秀吉降伏，島津氏的領地只剩下薩摩、大隅以及日向國諸縣郡。秀吉把薩摩賜給義久、大隅賜給義弘、日向諸縣郡賜給義弘的次男久保（娶義久三女龜壽而為義久婿養子），這一刻島津氏當主已從十六代義久轉移到十七代義弘手上（這是當時的認知，現在普遍認為義弘並未繼承島津氏當主），島津氏的領地依太閤檢地執行者石田三成等人丈量的結果大約是五十六萬九千餘石。

秀吉死後兩年發生關原之戰，島津氏由於先前出兵朝鮮（文祿・慶長之役）派出太多主力導致國力空虛，加上義久與義弘之間微妙的對立，使得島津氏只派出少部分兵力參戰。

內府家康在關原之戰前夕寫了數百封信件拉攏全國各地的武將，在朝鮮之役表現傑出的島津義弘自然也在家康的拉攏名單中。審時度勢的義弘早已看出秀吉病逝後下一位天下人非家康莫屬，即便與兄長義久之間有若干齟齬，還是召集約一千名島津軍（到關原開戰前有將近二千名）來到京都，打算進伏見城協助守將鳥居元忠一同禦敵，但是鳥居元忠並不領情，不得已下義弘只得率領島津軍向西軍靠攏。

西軍不管是名義上的統帥毛利輝元，或是實際上的統帥石田三成，就作戰經驗和謀略均不能與身經百戰的島津義弘相提並論，義弘聽到三成的作戰計畫後認為西軍沒有勝利希望，決定在關原之戰作壁上觀。九月十五日福島正則隊與宇喜多秀家隊的衝突點燃關原戰火，儘管包含島津軍在內的多數西軍都採取觀望姿態，但是就初期看來，西軍的確相當勇猛，東軍投入作戰的部隊遠比西軍多，反而呈現較為不利的局面。

到了下午在小早川秀秋的倒戈下西軍逐漸出現敗象，義弘認為勝負已定，該是撤退的時候。不過卻有部分東軍追擊在後，為了免於全軍遭到殲滅的命運，義弘下達有名的「島

4　《惣無事令》：禁止大名之間私自解決領土紛爭的私戰禁止令。

津大撤退」（島津の退き口），類似所謂的斷尾求生，具體做法為每隔一段距離就留下數十名島津軍與追擊的敵人作戰，其餘快步離去。留下的數十名島津軍很有可能全體戰死，但卻能因此拖延敵軍追擊的速度，讓其他島津軍有逃走的時間。島津軍撤退時最先遇上福島正則隊，福島正則是關原之戰最先開戰的東軍隊伍，向來給人莽撞、勇猛的形象，遇上撤退中的島津軍，福島隊毫無追擊之意。不過之後遇到的井伊直政、松平忠吉、本多忠勝隊緊追在島津軍之後，島津軍勇猛反擊，接連狙擊追擊在後的井伊、松平二人，使其重傷墜馬，島津軍也在伊勢街道上犧牲一門眾島津豐久（義弘四弟家久之長男）、家

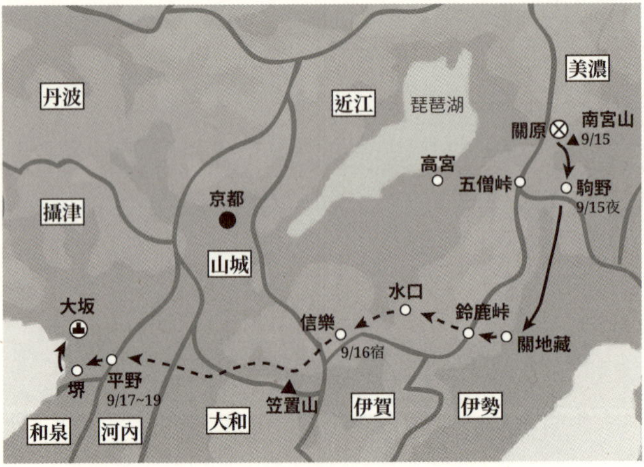

島津軍自關原撤至大坂的路線

老阿多盛淳及眾多島津軍。如此慘烈的犧牲終於讓義弘通過鈴鹿峠（三重縣龜山市和滋賀縣甲賀市交界），此時島津軍僅剩八十餘人。

義弘一返回薩摩（當年十月），立即在國境布下重兵以防家康趁關原之役獲勝的餘威追擊而來，同時也對家康採取和平交涉。家康對於玩兩面手法的島津氏頗為憤怒，有意以九州大名加藤清正、鍋島直茂、黑田長政為先鋒進攻薩摩。但是在仔細評估島津氏的戰力後認為薩摩至少還有一到二萬的兵力，遠征九州很有可能陷入長期戰，一旦如此因關原之戰受到處分的西軍大名很有可能趁機掀起反旗，使得關原取得的戰果付諸流水。

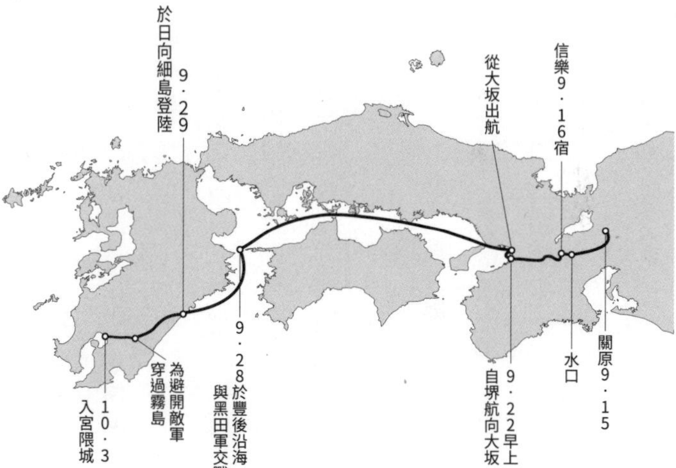

自關原一路退回薩摩國的路線及時程

另外，義弘三男忠恒上洛向家康交涉示好也讓家康放棄遠征薩摩的計畫，相較於對上杉氏、毛利氏的嚴懲，島津氏的領地並未受到任何削減，薩摩、大隅及日向國諸縣郡得到家康的承認（此時島津領地將近六十萬石）。家康於慶長七（一六〇二）年讓為德川、島津兩家友好貢獻心力的忠恒成為島津氏當主，同時也是初代薩摩藩主。

慶長十一年，島津忠恒受家康賜以偏諱，改名家久（並非承襲義弘四弟之名，而是受家康偏諱之故）。慶長十四年二月廿六日，島津家久以樺山久高為大將、平田增宗為副將，率領三千薩摩將士及八十餘艘船隻於山川港集結，準備出海征討琉球王國（琉球史料《中山世鑑》稱為「己酉之亂」）。

當時琉球王國正值第二尚氏統治期間（一四六九～一八七九），現今屬於鹿兒島縣的奄美群島（包括奄美大島、德之島、沖永良部島、與論島）在當時都隸屬琉球王國。三月四日，在年邁的島津義弘及藩主家久閱完兵後，樺山、平田二將率領船艦駛出山川港，沿途經過的奄美大島、德之島、沖永良部島幾乎都未遇抵抗。

三月廿六日於現今沖繩本島登陸，朝首里城（沖繩縣那霸市首里）進軍，到此為止才首度爆發大規模的衝突，人數較多的琉球軍被薩摩軍擊敗，薩摩軍包圍首里城，琉球國王尚寧王只得開城門與樺山、平田二將進行和談。翌年，尚寧王與島津家久前往駿府、江戶兩地分別拜見家康和秀忠，家康承認家久對於琉球有支配權，薩摩藩在奄美大島、喜界島、德之島、沖永良部島設置代官進行直接支配，另外派遣琉球在番奉行長駐琉球王國進行間接統治。

此後琉球成為薩摩藩附庸國，對於薩摩藩有定時納貢的義務，亦須定期派遣使節前往江戶謁見將軍。同時，琉球也對大陸的明國及之後的清國朝貢，明清有時亦會派出使者來到琉球王國。諷刺的是每當明清使者一到琉球，琉球在番奉行便會自行拆除在琉球的居館，佯裝成薩摩藩從未派人長駐琉球的景象，明清使者二百多年來都沒能看穿。

降伏琉球王國使薩摩藩石高增加十二萬石，總數來到七十二萬石。

二、「蘭癖大名」島津重豪

薩摩人相當以下面這句話自豪：

「島津無庸君。」（島津に暗君なし）

更正確一點說來，應該是第十五代起成為島津宗家的伊作島津家沒有昏君，從島津貴久（包含其生父日新齋忠良）為始，歷義久、義弘、家久（忠恒）等當主，與同時代其他武家的當主相比，幾乎名列前茅。

也由於島津無庸君，歷代薩摩藩主無一不是大權在握，藩祖島津義弘雖於關原之戰結束後的慶長七年讓出家督予三男忠恒，但是直到元和五（一六一九）年七月廿一日去世之前薩摩藩實權都掌控在義弘手上。輪到家久掌控實權時亦是如此，久而久之養成薩摩藩主權力不假於他人之手，幾乎不曾出現其他藩由家老共治的局面。藩主大權在握的情況尤以第八代藩主島津重豪為最，重豪的某些作為影響到幕末時期的薩摩藩，因此說到幕末時期的薩摩藩，不可不從島津重豪提起。

第六代薩摩藩主島津宗信英年早逝，由其異母弟重年繼承第七代藩主之位，重年亦因病弱早逝，重年的獨子久方成為唯一的繼任藩主人選，改名忠洪，此時只有十一歲。三年後忠洪在祖父島津繼豐（第五代藩主，宗信、重年生父）陪同下前往江戶謁見將軍家重，由將軍賜以偏諱改名重豪。

年輕的重豪對於蘭學抱持極大興趣，曾親自前往長崎出島的荷蘭商館，向荷蘭人要求搭乘荷蘭船隻。另一方面，重豪成立藩校造士館，在其他領域也成立演武館（教授武藝）、明時館（教授曆學及天文學）、醫學院（醫學），從上述措施可看出重豪對於教育的重視。

重豪的正室來自御三卿之一的一橋家，是一橋家初代當主一橋宗尹之女保姬（八代將軍德川吉宗之孫女），因為這層關係使重豪與一橋家關係深厚，不過保姬與重豪只維持短暫七年婚姻就因病逝去。

安永二（一七七三）年六月重豪三女於篤（上面兩個女兒夭折，實際上等於長女，後改名茂姬）出生，三歲時與一橋家第二代當主一橋治濟的長男豐千代訂下婚約。重豪此舉應該只是單純想維持與一橋家的關係，然而世事變幻莫測，豐千代因十代將軍家治的長男家基突然死去而於天明元（一七八一）年閏五月十八日被家治收為養子，成為繼任將軍人選。住進江戶城西丸的豐千代於天明二年四月三日元服，改名家齊並敘任從二位權大納言。天明六年八月廿五日家治去世，翌年四月十五日家齊敘任正二位內大臣，兼任右近衛大將，也在同日征夷大將軍及源氏長者宣下，家齊正式成為第十一代將軍，然而十五歲的他還未婚。

重豪在家齊正式成為征夷大將軍這年（天明七年）的一月廿九日宣布隱居，由年僅十四歲的長男忠堯（茂姬異母弟）繼任藩主，忠堯之後由家齊賜予偏諱改名齊宣，即第九代薩摩藩主，但重豪仍以「政務介助」（類似輔佐役）的名目將藩政實權牢牢控制在手。

茂姬早於天明元年跟隨豐千代住進江戶城西丸，幕閣察覺到茂姬有可能成為第一個出自外樣大名的御台所而表示反對，自三代將軍家光起，歷代御台所不是出自攝家就是出自四世襲親王家，茂姬以外樣大名薩摩藩主之女的身分受到反對應該也不令人意外。

重豪當然不希望之前訂下的婚約因為門第的原因而遭取消，他以四十三歲之齡在這年隱居可說有部分原因是為促成茂姬的婚姻。

「薩摩雖是外樣，好歹也是個大藩，賭上我七十七萬石的威名也要完婚！」

於是重豪周旋於朝廷公卿，他鎖定攝家筆頭近衛家，送了大量錢財給當時近衛家當主從一位右大臣近衛經熙，請他收養茂姬為養女。重豪以近衛家為對象，不光出於近衛家是攝家筆頭的身分，更在於前文提過島津氏始祖惟住忠久曾擔任過島津莊的下司、地頭，而當時島津莊正是近衛家的莊園。在重豪的銀彈攻勢下，近衛經熙點頭收茂姬為養女，改名寧姬，天明八年四月十八日結納（類似訂婚）再改名為近衛寔子，寬政元（一七八九）年二月四日以近衛家養女的身分完婚。

於是島津重豪成為幕府有史以來第一位與德川將軍家成為姻親的外樣大名，重豪以現任將軍丈人的身分權勢急速上漲，被時人稱為「高輪下馬將軍」[5]。此一經過為之後的薩摩藩主島津齊彬仿效，他將養女於篤（即篤姬）嫁進江戶城成為十三代將軍家定御台所的過程幾乎完全仿照近衛寔子。

島津重豪向來被稱為「蘭癖大名」，顧名思義即是對蘭學抱持異常的熱衷，重豪不只是喜愛蘭學中的奇珍異玩，他還花時間親自學習蘭學，是江戶中期幾乎唯一會講荷蘭文、會寫羅馬字的大名。文政九（一八二六）年甲比丹[6]江戶參府[7]，在長崎成立蘭學塾鳴瀧塾的普魯士醫師兼博物學者西博德（Philipp Franz von Siebold，請見第四部介紹）跟隨甲比丹

5 高輪下馬將軍：下馬將軍原指四代將軍家綱時的大老酒井雅樂頭忠清，他集權勢於一身，在江戶城大手門（正門）下馬札附近有一屋敷，幕閣、幕臣、大名到大手門下馬札都會自動下馬（出於尊敬起見），故被戲稱為「下馬將軍」。隱居後的島津重豪由於乃將軍丈人的身分，權勢可比酒井忠清，而他隱居地位於高輪，故以「高輪下馬將軍」稱之。

6 甲比丹：東印度公司設置在長崎荷蘭商館的商館長稱為丹比甲。

7 江戶參府：前往江戶拜謁將軍、呈上貢物的過程。

前來江戶。西博德是當時長崎首屈一指的蘭醫師，他前來江戶的消息造成極大轟動，日本各地蘭學者紛紛前來請益，司馬遼太郎作品《油菜花的海岸》（菜の花の沖）的主人公最上德內、蘭學者宇田川榕庵以及後來因西博德而被問罪的天文方高橋景保，都來瞻仰他的風采並與之結交。島津重豪也帶著同樣被稱為「蘭癖大名」的次男豐前中津藩主奧平昌高，以及十八歲的曾孫島津齊彬（當時身分為薩摩藩世子）與西博德會晤，詢問當時西洋各國的情況。

島津重豪因過於沉迷蘭學導致薩摩藩財政吃緊，有名無實的藩主齊宣起用樺山主稅（名久言）為家老，採取緊縮、節儉的政策以度過難關。平心而言，財政吃緊是十八世紀以後諸藩（也包括幕府在內）普遍存在的現象，在重豪之前薩摩藩財政已出現危機，這是幕藩體制先天上的缺陷，重豪並非始作俑者。不過重豪豪奢揮霍的個性確實加快了薩摩財政危機，隱居之身的他根本不需要為財政危機負責，或許這也是重豪早早讓位的原因。

家老樺山主稅找來以前經常一起研讀《近思錄》[8]的同志秩父季保、清水源左衛門等人，請求藩主齊宣赦免他們以往的罪名、重新任命職務。齊宣早就不滿自己是個有名無實的藩主，便毫不猶豫地赦免秩父、清水二人，並任用他們進行改革，對抗已經隱居的重豪。隱居的重豪住在江戶，因此樺山等人的改革從薩摩做起，罷免仰重豪鼻息的家老及其他職務的人，改安插認同改革者在其他職務上。與樺山等人有同樣主張的多半為一起研讀《近思錄》的同志，因此稱為近思錄黨，這即是所謂的「御家騷動」。

島津重豪於文化五（一八〇八）年開始反擊，該年四月齊宣命樺山、秩父兩位家老前往江戶，兩人抵達江戶後重豪卻下令將他們免職。照理而言已經隱居的重豪並無人事任免權，重豪之所以強行插手，應與將軍丈人的身分不無關係。

同年閏六月，樺山主稅、秩父季保等十三人切腹，清水源左衛門自殺（一說是切腹），蟄居、流放遠島超過百人。重豪強迫齊宣隱居，交出政權，改由齊宣十八歲的長男齊興繼任，是為第十代薩摩藩主，重豪再次以「政務介助」的名目控制藩政。薩摩藩這場御家騷動被稱為「近思錄崩」（近思録崩れ）或「文化朋黨事件」，已經六十四歲的重豪表現出對權力的戀棧。

在「近思錄崩」中，島津重豪施展高壓手段強行鎮壓反對派，不過，他也知道自己的揮

8 《近思錄》：南宋朱熹和呂祖謙將北宋的周敦頤、張載、程頤．程顥兄弟的著作編纂集結的儒家著作。

霍造成薩摩財政吃緊，近思錄黨是出於改善藩的財政才結成的，未必純粹出於厭惡自己的專權。因此，重豪覺得有必要進行財政改革，財政改革若成功，一來能減緩近思錄黨餘黨及其家人的不滿，二來可以有多餘的財力讓自己繼續揮霍，三來有助於提升自己聲望，以利於繼續掌權。

「近思錄崩」後重豪的作為中最成功、影響之後歷史最深遠的便是起用調所笑左衛門（名廣鄉）。調所笑左衛門原本是重豪身邊的茶道職，因能力出眾被重豪一路提拔到家老格。正因為重豪的提拔，出身極低的調所才能在齊興主政時期改革薩摩財政，也才有日後的雄藩薩摩藩，使島津齊彬、久光兄弟以財政改革成功的薩摩藩介入幕末政壇。

三、調所笑左衛門的財政改革

調所笑左衛門由於後來反對擁立薩摩的賢君島津齊彬，因此在多數的戲劇、小說裡，總是被塑造成奸人、佞臣的形象，但這是否就是調所笑左衛門原本的面貌呢？

調所笑左衛門生於安永五（一七七六）年二月五日，是薩摩藩下級武士川崎主右衛門的次男。天明八（一七八八）年十三歲時過繼到茶道職調所清悅家當養子，襲名[9]清悅。調所家歷代都是薩摩藩主的茶坊主[10]，調所清悅亦繼承此職，寬政十（一七九八）年正月，廿三歲的調所奉命前往江戶作為隱居藩主重豪的茶坊主，並奉命改名為笑悅，此刻的調所作夢也想不到此行前去江戶竟會遇上改變他一生命運的人——隱居的前藩主島津重豪。

薩摩藩在十七世紀大致上收支勉強持平，進入十八世紀後逐漸呈現赤字，到島津重豪襲封後一瀉千里負債達到百萬兩，到重豪起用調所進行改革的文政十一（一八二八）年薩摩藩負債高達五百萬兩，以一兩約為五萬日圓的比率換算，薩摩藩的負債相當於二千五百億日圓（約六百七十五億台幣）。薩摩之所以如此負債累累並不純粹是參勤交代之故，據威廉・比斯利（William G.Beasley）在《明治維新》（繁體中文版由遠足文化出版）一書的統計，參勤交代路程最遠的薩摩藩一次約花費一萬四千一百兩，可見薩摩藩的負債大多出自重豪的揮霍。

9 襲名：沿襲師匠或前代的名字，多以能樂、文樂、落語、歌舞伎等傳統藝能方面。

10 茶坊主：江戶時代在將軍或大名身邊泡茶或接待來訪者的僧侶。

調所一開始只是年俸三十俵[11]的茶坊主，在「近思錄崩」事件後，從御茶道頭（茶坊主的首領）起經廿一年的時間晉升到家老格，不可能光憑泡茶的本事而已。在家老格之前，調所歷任御小納戶勤（任職期間改名笑左衛門）、御小納戶頭取御用兼御取次見習、御使番、町奉行、御側御用人格、兩御隱居樣御續料掛、御側御用人、御側役勤、大番頭、大目付格等職務，其經歷之豐富遠非尋常武士可比擬。

天保四（一八三三）年一月十五日，重豪病逝於高輪藩邸（東京都品川區高輪三～四丁目），享壽八十九歲。在去世前一年重豪提拔調所為家老格，重豪去世後調所的財政改革才真正開始，在此之前只能算是財政整理。四十三歲的藩主島津齊興繼續重用調所，把他從家老格晉升家老。

家老調所找來薩摩藩債的債主（約有半數是大坂商人），以七十七萬石的家老身分強迫他們接受二百五十年無息償還（等於一年只還二萬兩），薩摩藩一年的收入只有十三萬到十五萬兩，一年要償還二萬兩其實負擔也頗為沉重。

在改革方面調所與以往的改革者不同，他固然也要求舉藩上下儉約，縮減藩主參勤交代的旅費、節約薩摩特產運往大坂的運費等等。不過光靠省下來的費用恐怕連支付半數藩債都不夠，因此調所財政改革的重點在於專賣殖產和農業復興兩方面，特別是前者。

薩摩藩最大的特產為黑糖，尤其是奄美大島、喜界島、德之島三島。調所在這三島設官，由官方統一收購黑糖，建立專賣制度，嚴禁私售。同時改良甘蔗品種及種植方式，天保元年至十年（一八三〇～三九）三島產黑糖達一億二千萬斤，在大坂設置專賣的「砂糖問屋」，專賣獲利達二百三十五萬餘兩，相較於改革前十年的獲利一百三十六萬六千餘兩，足足多出近百萬兩。

有了黑糖事業成功的激勵，調所對於米、生蠟、菜籽、朱粉、胡麻、什紙等物產亦予以獎勵生產，統一運送到有「天下廚房」之稱的大坂。

不過，畢竟黑糖專賣的獲利有限，要在短時間內還清藩債並且積存資金必須另謀他法，調所想到的是投機的密貿易（走私貿易）。琉球隔著東支那海與清國華中相對，往南可達台灣、呂宋，在這裡進行密貿易就能獲利數倍，而且對幕府而言鞭長莫及，就算被發現也不

11 俵：計算米的單位，明治時代一俵等於四斗，約六十公斤。薩摩藩一俵有二斗或三斗兩種制度，茶坊主屬於前者，年俸為六十斗。一石等於十斗，因此其年俸為玄米六石，約九百公斤。

易追查，風險極低。

於是調所以琉球為基地設置琉球館聞役，朝西、南進行密貿易。如果說黑糖專賣可讓獲利翻倍，那麼密貿易可獲利五倍、甚至十倍以上，五百萬兩藩債就在黑糖專賣、密貿易雙重進行下，於天保十一（一八四〇）年基本上還清。不過調所不以此而滿足，他繼續進行密貿易為薩摩藩積存盈餘。

從以上的敘述可看出，幕末時的薩摩藩能夠讓島津齊彬、光久多次進出京都，以雄藩之身發揮出雄厚的實力（詳見第二部），完全是因為調所笑左衛門廣鄉在天保年間成功的財政改革，不只還清島津重豪以來的五百萬兩藩債，還積存了將近一百萬兩的盈餘。照理而言，調所可說是薩摩藩的大恩人，可是為何現在所認知的調所通常被歸類為奸人或惡人呢？這是因為薩摩不久之後又發生御家騷動，調所基於感念知遇之恩而站在藩主齊興這邊，與後來成為藩主的齊彬站在對立面，因而在當時及維新回天後被妖魔化。這場繼「近思錄崩」之後不到半世紀出現的御家騷動一般稱為「由羅騷動」，薩摩藩最有名的賢君島津齊彬在「由羅騷動」後襲封藩主，薩摩藩在齊彬的領導下走上歷史的舞台，引領時代的風騷。

四、「由羅騷動」始末

發生於嘉永年間（一八四九～五〇）的「由羅騷動」是江戶末期薩摩藩的一大事件，此一御家騷動使得有「三百諸侯第一賢明」之稱的齊彬得以襲封藩主。有齊彬憑藉調所笑左衛門財政改革成功的基礎發展軍事實力，幕末時期才有島津久光以薩摩武力為後盾干涉幕政，因此本節將以「由羅騷動」為主題，談論其經過始末及對之後薩摩藩的影響。

筆者在第二節一開頭提到島津無庸君，並點出正確說來是指伊作島津家。不過凡事總有例外，而伊作島津家無庸君的例外，應該就是第十代薩摩藩主島津齊興。然而，說齊興是例外也僅是相較於祖父島津重豪、長男島津齊彬而言，若與其他三百藩相比，島津齊興的資質應該還是勝過許多藩主。

島津齊興於「近思錄崩」事件結束後隔年，即文化六（一八〇九）年六月十七日以十九歲之齡成為第十代藩主。同年九月廿八日（日期依據池田俊彥《島津齊彬公傳》），於江戶薩摩藩芝藩邸（中屋敷）生下長男，幼名邦丸。邦丸生母彌姬是齊興正室，為第六代鳥取藩藩主池田治道之女。

當時隱居的重豪住在江戶高輪藩邸，而隱居的齊宣住在芝白銀邸（東京都港區白金台，現為八芳園），邦丸和父母則住在芝三田邸（東京都港區芝三丁目）。重豪似乎很喜愛剛出生的小曾孫，文化九（一八一二）年八月十五日邦丸才四歲，重豪就迫不及待地讓齊興立他為世子。

文政四（一八二一）年三月四日，十三歲的邦丸元服，改名又三郎忠方。文政七年八月十六日忠方生母彌姬去世，同年十一月廿一日，重豪帶著十六歲的忠方拜謁將軍，為家齊賜予偏諱，改名齊彬，並敘任從四位下侍從兼兵庫頭。

文政九年十月，先是齊彬同母弟十六歲的島津久寧過繼給岡山藩藩主池田齊政為養子，改名池田為政，之後池田齊政於文政十二（一八二九）年二月讓位，為政襲封，改名池田齊敏；繼而同年（文政九年）十一月一日，十八歲的齊彬在江戶芝三田邸迎娶已故的一橋民部卿齊敦長女英姬（之後改名恒姬），一橋齊敦是當時將軍家齊的同母弟，這樁婚姻很有可能出自重豪和家齊的御台所近衛寔子的撮合。

齊彬和恒姬於文政十二年八月三日生下一男，命名為菊三郎，當下即收到重豪、家齊及寔子，還有齊興致贈的禮物，可惜九月十一日菊三郎夭折，年齡長齊彬四歲的恒姬之後未能再生育。

另一方面，齊興偏愛的側室由羅（江戶町人之女）於文化十四（一八一七）年十月廿四日生下一男，幼名普之進。普之進是齊興的五男（扣除掉夭折的則為三男），由於由羅家世不高，便於翌年三月一日將普之進送給家臣種子島久道當養子。齊興正室病逝後，側室由羅雖未扶正，然地位等同正室（被稱為「御國御前」），在她的央求下，齊興於文政八年三月將普之進迎回島津宗家，改名又次郎。同年十一月，齊興讓又次郎成為島津一門眾筆頭重富島津家（位於大隅國始良郡，今鹿兒島縣霧島市）當主島津忠公（齊宣三男）的養子。文政十一（一八二八）年二月又次郎元服，齊興親自擔任烏帽子親[12]，又次郎改名忠教，即之後的島津久光。

齊興寵愛由羅，對忠教愛屋及烏，甚至萌生傳位給忠教的念頭。齊興對待齊彬和他對忠教的態度之所以天差地遠，筆者認為最大的原因在於齊興對齊彬的嫉妒。齊彬幼年起即展現出過人的天賦，博聞強記、過目不忘，深得曾祖父重豪的寵愛，連帶也受到將軍家齊

12 烏帽子親：元服儀式為元服者加冠之人，元服者拜領加冠者的偏諱，加冠者有提攜元服者的義務。

及其御台所寔子的喜愛。成為世子後更是躍登江戶大名、世子間社交界的名人，經常有人慕名而來與齊彬見面、攀談。

幕府方面有阿部政弘老中首座、筒井肥前守政憲、井戶對馬守弘道、岩瀨肥後守忠震、川路左衛門尉聖謨、大久保右近將監忠寬（號一翁）、伊豆韮山代官江川太郎左衛門（名英龍）、砲術名人高島四郎大夫（名秋帆）、勝安房守麟太郎（號海舟）等人。

諸藩大名方面有水戶藩主德川齊昭、尾張藩主德川慶恕、越前藩主松平春嶽、豐前中津藩主奧平昌高（重豪次男，齊彬的叔公）、佐倉藩主堀田正睦、加賀藩主前田齊泰、福岡藩主黑田齊溥（重豪十三男，年紀小於齊彬）、阿波藩主蜂須賀齊昌、松代藩主真田幸貫（唯一擔任過老中的外樣大名）、宇和島藩主伊達宗城、土佐藩主山內容堂、肥前藩主鍋島齊正（號閑叟）以及八戶藩主南部信順（重豪十四男）等人。

蘭學者方面則有佐久間象山、宇田川榕庵、緒方洪庵（創辦適塾）、渡邊崋山、高野長英、伊東玄朴、杉田成卿、箕作阮甫（明六社成員箕作秋坪・麟祥為其後人）等人。

這麼一大群人雖身分、見識、政治立場各不相同，齊彬皆能與之親交，當中有的在日後的「由羅騷動」成為齊彬的助力，但是在齊興身上卻幾乎見不到這種交際情形。

「不過就一個紙上談兵的傢伙也值得如此吹捧？我可是堂堂七十七萬石的藩主！」

天保四（一八三三）年重豪去世，齊興成為名實相符的藩主。筆者前文曾提過「薩摩藩主權力不假於他人之手，幾乎不曾出現其他藩那樣由家老共治的局面。」因此齊興既無須憂慮大權旁落，還因調所笑左衛門財政改革成功而有花費不完的金錢，這讓齊興無形中戀棧著藩主之位，使得齊彬過了四十歲依舊是薩摩藩世子。此事激起部分薩摩下級武士的反感，齊彬貴為當時最賢明的世子，卻遲遲未能襲封，平白被藩主齊興蹉跎歲月。

齊興倒也不是沒有想過隱居讓位的事，但是他就是不願意讓位齊彬。齊彬擁有齊興所沒有的英明和智慧，還有遺傳自祖父對蘭學的喜愛，因此對齊興來說，讓位也是讓位給忠教，豈能讓位給齊彬？

齊興的想法得到部分家臣的共鳴，特別是在負債五百萬兩期間被迫「共體時艱」的家臣們。在他們看來齊興雖是凡庸的藩主，在調所財政改革成功後甚至出現揮霍的行為，然而齊興的揮霍也止於當時一般藩主的程度，對一個藩——特別是財政改革成功的外樣大藩——而言，並不構成太大的傷害。相較於隨著年齡增長逐漸出現類似重豪行為的齊彬，兩害權其輕，一部分的家臣支持齊興以及他屬意的忠教，至於忠教賢能與否並非他們關注的重點。

「只要不著迷於洋夷的學問，管他是什麼，做家臣的都支持到底。」

因成功改革財政而厥功甚偉的家老調所笑左衛門也義無反顧地支持齊興，他的表態讓薩摩藩內的形勢朝對齊興有利的方向發展，然而此時，發生了兩件事情讓雙方的衝突全面引燃。

首先是除去齊興派大將、對財政改革有功的調所笑左衛門，嘉永元(一八四八)年齊彬向阿部老中首座告密調所長年來以琉球為中繼站與清國和南洋諸國進行密貿易。其實這也不算告密，對於薩摩藩數年內就能還清五百萬兩藩債的真相阿部早有所耳聞，但也不便於細究，如今此事既由齊彬告發，以阿部和齊彬的多年交情當然樂見齊彬襲封藩主，眼見只有將調所定罪才是逼退齊興隱居的最好方法，阿部便針對調所展開調查。

同年十二月十九日調所突然在江戶芝藩邸死去，享壽七十三歲。調所之死一直以來都被認為是他為了保住齊興，而在銷毀密貿易的證據後自盡，也因為調所的自盡讓齊彬派(包括齊彬本人在內)想藉由打擊調所逼齊興隱居的意圖失敗。

接著是嘉永二(一八四九)年六月廿二日，齊彬四男篤之助夭折，連同去年五月夭折的齊彬次男寬之助在內，齊彬七名子女共有五人夭折(三男盛之進與五男虎壽丸之後亦相繼夭折)，如此不尋常的情況讓擁護齊彬的家臣認為有人在背後以咒術詛咒齊彬子女夭折，這個人被齊彬派家臣認定是由羅，因而群情鼓譟。

齊彬的子女是否受到咒術詛咒而夭折還有待確認，以現代人的角度來看咒術詛咒是否真能奪去性命也是一個問題，在醫療技術不先進的當時孩子在五歲前夭折幾乎司空見慣，就連齊興和由羅生下的三個孩子也只有忠教長大成人，與其將孩子的夭折怪罪於由羅的詛咒，倒毋寧歸咎於當時醫療技術的落後及醫療知識的缺乏。

不過，當時齊彬派的家臣當然不可能有這層認知，比起要他們擁有超出能力範圍的知識，直接讓他們有個怨恨的對象來得容易許多，因此齊彬派家臣計畫暗殺由羅和忠教。然而，此一計畫卻被口風不緊的家臣洩漏出去，齊興大為震怒，下令逮捕齊彬派家臣。

嘉永二年十二月三日起，齊彬派家臣陸續遭處刑，命領袖御船奉行格兼御家老書役高崎五郎右衛門(名溫恭，其子為高崎正風)、町奉行兼物頭近藤隆左衛門(名泰龔)、町奉行格兼鐵砲奉行山田一郎左衛門（名清安）三人切腹、剝奪其士籍（除去武士身分），並將切腹後的屍體再處以磔刑；齊興尤其痛恨計畫刺殺由羅的近藤隆左衛門，下令處以鋸挽[13]之刑，然後再加以梟首。

物頭赤山靭負、裁許掛中村嘉右衛門、廣敷橫目野村喜八郎、藏方目付吉井七之丞（名泰通）四人於翌年三月四日切腹；四月廿八日家老島津壹岐（名久武）切腹，死後不得以島津姓氏祭祀；馬廻仙波小太郎切腹；橫山喜兵衛因其弟木村仲之丞（名時澄）於幽禁期間逃走亦被下令切腹；高木市助於幽閉中切腹了斷；大目付二階堂主計（名經行）雖已死去，仍被處以除去士籍、拆除墓碑的處分。

另外從嘉永二年十二月起，將宗門方書役肱岡五郎太、地方檢者松本一左衛門、郡見廻山之內作次郎（名貞倚）、白尾傳右衛門免職，然後連同和田仁十郎、村野傳之丞（名字為實辰）共六人流放遠島；翌年四月廿六日將屋久島奉行吉井七郎右衛門（名泰諭）、奧茶道頭山口及右衛門（名定救）、大番頭島津清大夫、甑島地頭新納彌太右衛門（名時升）、裁許掛見習近藤七郎右衛門、琉球館藏役大久保次右衛門（名利世，日後維新三傑之一大久保利通的生父）皆予以免職、流放遠島。

御數寄屋松山隆左衛門、廣敷番頭八田喜左衛門（名知紀）、大目付名越右膳（名時行）、奈良原助左衛門・喜左衛門（名清）父子、木場次右衛門、有川十右衛門、關勇助、有馬一郎、後醍院彥次郎、郡山一介、宇宿彥右衛門等人免職謹慎。

前後總共有約五十人受到處分，人數雖不如「近思錄崩」事件，但處分之嚴峻則有過之，擁護齊彬的家臣幾乎被徹底清算。對「由羅騷動」有興趣的讀者可參閱直木三十五（《文藝春秋》每年舉辦兩次的直木賞即是為紀念他而設立）於昭和初期發表的作品《南國太平記》。

吉之助的生父吉兵衛（名隆盛）幫赤山靭負介錯，他將赤山切腹時沾血的血衣傳給吉之助，時時警惕西鄉吉之助莫忘赤山靭負的犧牲，也成為他終生厭惡島津齊興・忠教父子及由羅的源頭。

「由羅騷動」因齊彬派領袖為高崎五郎右衛門又稱為「高崎崩」（高崎崩れ），或稱「嘉永朋黨事件」，是繼「近思錄崩」後不到半世紀的第二次御家騷動，擁護齊彬派的家臣幾乎被一掃而盡，齊彬的襲封看來似乎遙遙無期。

13　鋸挽：以生鏽的鋸子鋸開身體的酷刑。

五、「三百諸侯英明第一」的島津齊彬

「由羅騷動」的懲處一直持續到嘉永三（一八五〇）年三月，井上經德、木村時澄、竹內重任、岩崎長直這四位被判刑的家臣拒絕服刑，選擇脫藩出走，北上前往福岡藩向該藩藩主黑田齊溥陳述騷動之始末。齊興得知後立即向福岡藩要求引渡四位家臣，前文已有提及黑田齊溥乃重豪之子、齊彬的叔公，換言之為齊興的叔父（儘管年紀比齊興小很多），向來器重齊彬，因此拒絕齊興的要求，黑田齊溥向他和齊彬共同的友人阿部正弘、松平春嶽、奧平昌高、伊達宗城、南部信順轉達「由羅騷動」的經過。

筆者在本文已多次提及「由羅騷動」是場御家騷動，而幕府對御家騷動有最後的裁決權，二百多年來幕府向來都以這一權力裁決幕府中意的人選襲封，於是對阿部老中首座言聽計從的將軍家慶，配合演出了一場勸退戲。嘉永三年十一月幕府傳喚家老島津將曹（名久德）下達齊興隱居的命令，可齊興不為所動。十二月一日幕府傳喚齊興登城參見，阿部老中首座轉達將軍致贈的茶器給齊興，以此為由勸告齊興隱居，人緣不佳的齊興不得不表達願意接受隱居。

四十三歲的世子齊彬歷盡千辛萬苦終於在嘉永四年二月二日襲封，成為薩摩藩第十一代藩主。二月三日，齊彬敘任薩摩守，同時保有從四位下左近衛權少將的官職，同年五月八日齊彬成為藩主後首度返回薩摩。不過，當上藩主後的齊彬並未對齊興、由羅、忠教三人展開清算，對於曾是藩主競爭對手的忠教也予以善待，結果這三人都比齊彬還要長壽。

當初反對齊彬襲封的理由之一是齊彬與重豪一樣喜愛蘭學，由他襲封恐怕會重蹈重豪的覆轍，讓薩摩藩財政陷入困境。這樣的擔心並非沒有道理，不過齊彬對於蘭學中能夠讓藩國強大的領域之喜愛更甚於對個人享樂的追求，這是齊彬與重豪最大的差別。

襲封藩主後齊彬朝富國強兵、殖產興業而努力，興建反射爐、溶鑛爐等設備，用在製鐵、造船、紡織、製造大砲、建造洋式帆船（暫時還沒有製造蒸汽船的能力）、武器彈藥等方面，由於這些事業都集中在集成館（鹿兒島縣鹿兒島市吉野町尚古集成館、仙巖園）一帶，因此統稱為集成館事業。二〇一五年六到七月間集成館事業以「明治日本的產業革命遺產：製鐵．製鋼、造船、石炭產業」登錄為世界文化遺產。

當時日本大概只有佐賀藩能夠和薩摩一樣，在各方面的近代化上均有所成效，雖然齊彬不像曾祖父重豪一樣追求蘭學是出於個人享樂，不過齊彬的集成館事業開銷比重豪的個人享樂更大，讓調所笑左衛門的財政改革吃緊，齊彬去世後集成館事業在齊興執政時期一度停擺。

文久三（一八六三）年七月二日到四日的薩英戰爭讓島津久光見識到薩摩之所以能夠取得不敗的戰果，實乃植基於齊彬主政時投注於集成館事業的成果。

薩摩藩歷代藩主

代數	藩主	官位	出自
初代	島津家久	從三位薩摩守	島津義弘三男
二代	島津光久	從四位上薩摩守	島津家久長男
三代	島津綱貴	從四位上薩摩守	島津光久長男島津綱久長男
四代	島津吉貴	正四位下薩摩守	島津綱貴長男
五代	島津繼豐	從四位上大隅守	島津吉貴長男
六代	島津宗信	從四位上薩摩守	島津繼豐長男
七代	島津重年	從四位下薩摩守	島津繼豐次男
八代	島津重豪	從三位薩摩守	島津重年長男
九代	島津齊宣	正四位上薩摩守	島津重豪長男
十代	島津齊興	從三位大隅守	島津齊宣長男
十一代	島津齊彬	從四位上薩摩守	島津齊興長男
十二代	島津忠義	從一位大隅守	島津齊彬弟島津久光長男

島津系圖

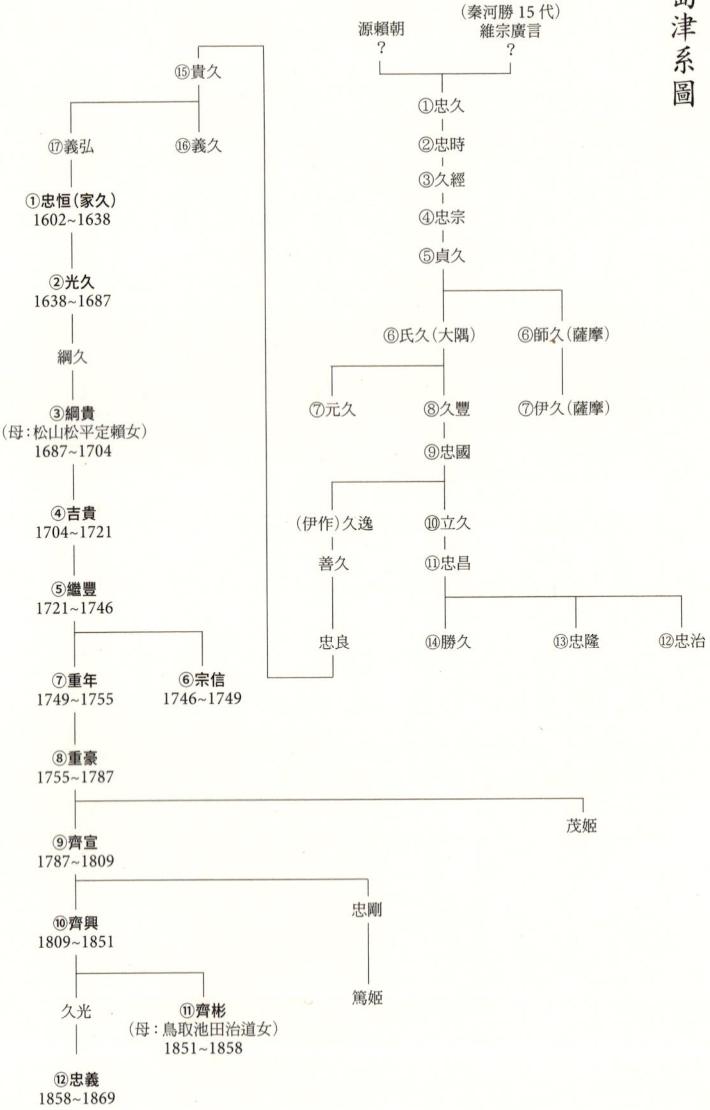
(秦河勝 15 代)
維宗廣言
?
源賴朝
?
①忠久
②忠時
③久經
④忠宗
⑤貞久
⑥氏久(大隅)
⑥師久(薩摩)
⑦元久
⑧久豐
⑦伊久(薩摩)
⑨忠國
(伊作)久逸
⑩立久
善久
⑪忠昌
忠良
⑭勝久
⑬忠隆
⑫忠治
⑮貴久
⑰義弘
⑯義久
①忠恒(家久)
1602~1638
②光久
1638~1687
綱久
③綱貴
(母:松山松平定賴女)
1687~1704
④吉貴
1704~1721
⑤繼豐
1721~1746
⑦重年
1749~1755
⑥宗信
1746~1749
⑧重豪
1755~1787
茂姬
⑨齊宣
1787~1809
忠剛
⑩齊興
1809~1851
篤姬
久光
⑪齊彬
(母:鳥取池田治道女)
1851~1858
⑫忠義
1858~1869

薩摩藩領

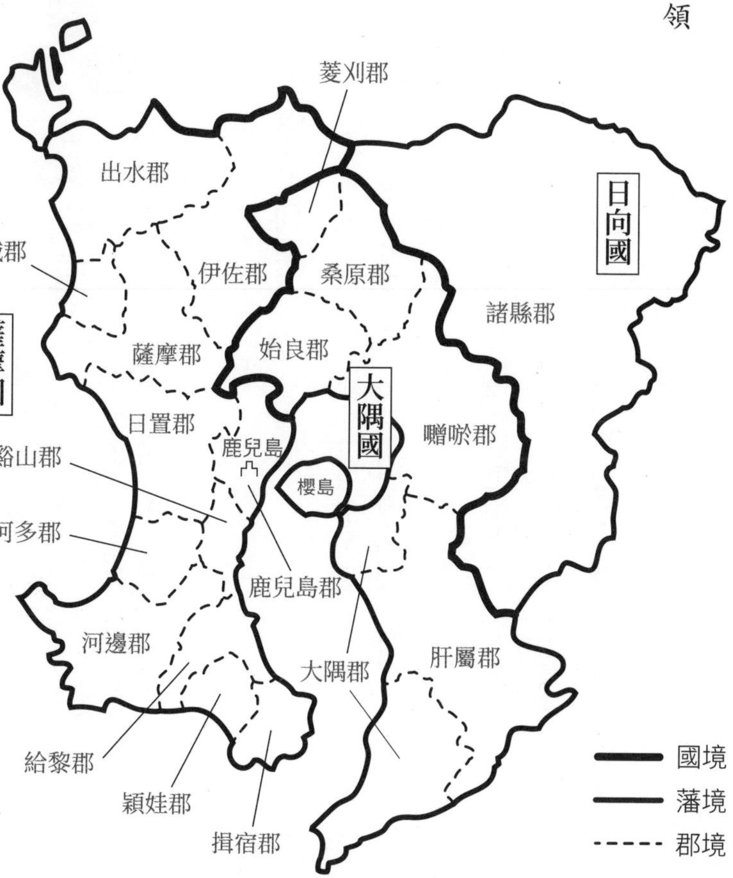

菱刈郡
出水郡
日向國
高城郡
伊佐郡
桑原郡
諸縣郡
薩摩國
薩摩郡
始良郡
大隅國
日置郡
鹿兒島
贈於郡
谿山郡
櫻島
阿多郡
鹿兒島郡
河邊郡
肝屬郡
大隅郡
給黎郡
穎娃郡
揖宿郡
國境
藩境
郡境

長州藩

種類：外様
總石高：三十六萬九千石
藩廳所在地：萩城
別稱：萩藩
極位極官：從四位下大膳大夫
在江戶城的伺候席：大廣間
大名格式：國持大名
支藩：
長府藩（五萬石）、德山藩（四萬石）、清末藩（一萬石）
著名藩主：
毛利秀就、毛利重就、毛利慶（敬）親

一、關原敗戰後的毛利家

慶長五（一六〇〇）年九月十五日在美濃國不破郡關原（岐阜縣不破郡關原町）進行的關原之戰，不僅是決定天下的一戰（天下分け目の戦い），也奠定了近世封建政治版圖的雛形，有所得必有所失，毛利家正是這場戰役最大的輸家之一。

慶長五年七月十五日毛利氏當主輝元接受前田玄以、增田長盛、長束正家三奉行的邀請從廣島城出發，四日後進入大坂城成為西軍名義上的總大將。面對即將到來的關原之戰，在毛利輝元身邊為其出謀劃策的不再是「毛利兩川」（吉川元春和小早川隆景），而是一些比輝元更年輕、更沒有作戰經驗的後輩。

身為西軍統帥的毛利輝元選擇坐鎮大坂城，派出兩位血緣上為輝元堂弟的毛利秀元（元就四男穗井田元清的次男，曾是輝元養子）和吉川廣家（吉川元春三男）率領毛利軍前往關原。相較東軍統帥家康親自前往關原於桃配山布陣，居高臨下猶如監視加入東軍的將領，西軍在戰場上實際指揮的卻是石田三成。論官位石高、論經歷、論戰績、論人望，石田三成無法與家康相比自不待言，但比起毛利輝元也是差上一大截，由這樣的人擔任西軍統帥，好比推舉中階軍官指揮集團軍一樣，能夠調動的部隊相當有限。

別的不說，毛利輝元派往關原的總大將之一吉川廣家事先已透過東軍將領黑田長政和家康私通，取得家康對領地安堵的保證。因此吉川雖身在西軍卻毫無為西軍作戰的意願，不僅如此，布陣在南宮山的吉川隊還力阻毛利秀元隊（一萬五千）參戰，也阻斷同樣布陣在南宮山上的安國寺惠瓊隊（一千八百）、長束正家隊（一千五百）、長宗我部盛親隊（六千六百）參戰。

長宗我部盛親、安國寺惠瓊想要下山參戰，卻受阻於前方的毛利秀元隊，於是幾次三番派出使者前往毛利秀元陣中催促：

「請宰相大人下令全軍出擊！」（毛利秀元當時的官職為參議，參議之唐名為宰相，人稱羽柴安藝宰相）

毛利秀元不知吉川廣家已與家康達成不戰的協議，雖想下山參戰但總被廣家制止。面對秀元後見人安國寺惠瓊派來催促參戰的使者，秀元情急之下只好說出：

「宰相大人正在吃便當。」

決定天下歸屬的大戰當前，身為西軍統帥的代理人竟然在吃便當，這叫惠瓊如何能信？而秀元為了取信惠瓊還真下令全軍吃便當，成了毛利軍拒絕出戰的理由，連帶也讓惠瓊、長束正家、長宗我部盛親共約一萬兵力無法參戰。

當西軍主力石田三成、宇喜多秀家、大谷吉繼、小西行長四隊與東軍諸隊力戰的同一時刻，毛利軍一萬餘人卻在南宮山上吃便當，關原之戰就在毛利軍吃便當吃到渾然忘我之際結束。

一兵未發只顧著吃便當，也難怪毛利秀元在戰後被揶揄為「宰相大人的空便當」（宰相殿の空弁当）。

關原戰後的領地處置在石田三成、安國寺惠瓊、小西行長斬首後陸續發布，吉川廣家認為自己成功絆住南宮山上將近三萬的西軍，讓他們無法下山參戰或襲擊桃配山家康本陣，毛利家自元就公以來就不奢望能取得天下，只盼家康能兌現安堵毛利氏領地的承諾。

且先不說家康的性格，從七月廿五日小山評定後到關原前夕不到兩個月間，家康就寫下超過二百封信件拉攏全國各地武將，扣除掉重複部分至少超過百名武將是他拉攏的對象。而以家康的威望和權勢，被他拉攏的對象幾乎都加入東軍，這些武將之所以願意加入東軍固然有部分是震懾於家康的威望，但不容否認亦有部分是出於增加領地的欲望，戰後家康必須對加入東軍的武將做出封賞。

然而日本能夠拿來封賞的領地有限，勢必得從西軍將領手上沒收領地，也許還需要動到維持中立的將領才夠封賞。在這種情形下，家康很難不去動當時領地僅次於自己的毛利、上杉兩家，因此家康下令將會津上杉氏一百二十萬石領地削減至三十萬石，移封至米澤；毛利氏的安藝、周防、長門、備後、備中、石見、出雲、隱岐、伯耆、因幡十國共一百二十萬石領地，削減至周防、長門二國二十九萬八千石（根據慶長五年檢地帳，三十六萬九千石是慶長十年起對外通稱的數字，沿用至幕末）。

毛利氏的領地於慶長五年十月十日遭大幅削減，毛利輝元也選在這一天削髮出家，法號幻庵宗瑞。而輝元的長男松壽丸年僅六歲且須在江戶當人質，因此從一門眾及重臣中挑選毛利秀元、吉川廣家、福原廣俊、益田元祥四人輔助宗家執政。

毛利氏自元就公以來即以重視與盟友間的誠信著稱，對於山陰、山陽地區投靠的大小豪族即便遇上危難也不離不棄，只要為毛利氏犧牲性命，元就必然厚待其後人，與譜代家臣無異。像益田元祥這樣出身石見國豪族、生父藤兼在嚴島合戰後才臣屬於毛利氏的身分，換作其他家族很難在元祥這代就被賦予輔政的重責。

重視與盟友的誠信、厚待為毛利氏犧牲性命的豪族之後這一作風在元就死後由輝元繼承，成為毛利氏的家風。毛利氏的誠信讓後來奉信長之命進行中國征伐的秀吉苦於山陰、山陽豪族對毛利氏的向心力之強，諸如播磨三木城、因幡鳥取城的攻略都費時超過一年。

在毛利氏還臣從於大內氏的時代，毛利元就被大內義隆動員包圍尼子氏居城月山富田城（島根縣安來市廣瀨町），大內氏的糧秣補給線遭到尼子氏破壞而人心惶惶，原本投靠大內氏的出雲、石見國人眾倒戈投靠尼子氏。大內義隆見狀決定撤退，毛利元就被指派負責殿後，撤退時的殿後部隊往往會被士氣高昂的敵軍先鋒部隊追上，落得全滅的下場。元就撤退到石見國大江坂（島根縣大田市溫泉津町，石見銀山附近）一帶時被尼子軍追上，此時毛利的部將渡邊通等七名挺身而出，向元就要去身上穿戴的鎧甲，以元就的替身力戰而死，讓元就得以率領其餘毛利軍返回居城吉田郡山城（廣島縣安藝高田市吉田町）。

渡邊通的生父渡邊勝因擁立元就之弟相合元綱掀起叛亂而遭到殺害，渡邊通受到元就的重用後一直想有所回報，最終戰死在大江坂。元就感念渡邊通的忠義，立誓只要毛利氏存在，絕對不會捨棄渡邊通的子孫。關原之戰結束後，即便毛利氏石高被削減了四分之三，毛利氏也沒有因此裁撤任何一位家臣，每年正月甲冑賀儀首位榮耀都留給渡邊通的子孫。

本能寺之變發生時秀吉正在與備中高松城（岡山縣岡山市北區高松）主清水宗治交戰，急於返回畿內與明智光秀決戰的秀吉提出要清水宗治切腹的和談條件。當時毛利氏還不曉得已發生本能寺之變，鑒於前線節節敗退、深恐有滅亡之虞，便對秀吉提出的和談條件照單全收，至於對被當成犧牲品的清水宗治則允諾必定會照顧其後人。清水宗治後來固然壯烈犧牲，毛利氏也實踐照顧清水宗治後人的諾言，二百多年後長州藩有個名為清水清太郎的家老（請參閱第二部第十三章）即是清水宗治的後代。幕末亦有名為益田右衛門介和福原越後的家老，從苗字便能看出分別是益田元祥、福原廣俊的子孫（為保護毛利家，扛起禁門之變的罪責切腹），從以上數例可看出毛利氏到幕末都還遵守元就公厚待盟友、家臣之家風。

關原之戰中毛利氏未曾一戰而被削減四分之三的領地，舉藩上下懊悔之情自不待言。由於毛利氏領地僅剩周防、長門二國，失去自天正十七（一五八九）年一月以來作為居城的廣島城（廣島縣廣島市中區基町），在與幕府交涉選擇新居城的地點時，益田元祥、福原廣俊首選往昔大內氏的居城山口，但為本多正信．正純父子堅拒。兩人接著選擇距離良港三田尻咫尺的防府（山口縣防府市，令制國周防國府即位於此地），依舊被本多父子堅拒，最後本多父子亮出他們的底牌——只准毛利氏選擇日本海沿岸的萩作為居城。

對益田、福原二人或是對毛利氏及其家臣而言，幕府只准萩作為居城地未免過於嚴苛，萩有著交通不便、腹地狹小、氣候嚴寒等缺點，極不適合作為城下町，置毛利氏於萬劫不復的意圖相當明顯。慶長九（一六〇四）年在萩築新城，慶長十三年竣工。山口、防府兩地被拒，最後只能落腳萩作為新居城，這對毛利氏君臣而言極盡屈辱，加上關原之戰堅守中立卻換來四分之三領地被削減的仇恨，毛利氏對幕府可說無比痛恨，整個江戶時代無時無刻都在想著要如何雪恥。此後每逢正月在萩城舉行「小座敷之儀」[14]向藩主恭賀新年時，長州藩首席家老都會慣例性的向藩主請示：

「請問主公，我們今年可以準備進攻關東了嗎？」

而歷代長州藩主每年的回答都一樣：

「不，時機未到。」

在幕府初、中期區區一個長州藩當然沒有力量與幕府對抗，然而隨著幕府聲望的下墜，而長州的財政改革獲致成功，號稱有百萬石的實力。到幕末時期長州儼然成為日本數一數二的雄藩，開始敢公然與幕府對立。

二、岩國「藩」？岩國「領」？

毛利氏被削減至二十九萬八千石的同時，毛利輝元封毛利秀元在長門國豐浦郡（山口縣

14 小座敷之儀：毛利元就在位時，舉辦酒宴和重要家臣談論機密軍議的儀式。

下關市及美彌市一部分)及一部分的厚狹郡(山口縣山陽小野田市、宇部市及下關市一部分),讓他成為獨立大名、以作為長州藩西境的屏障,稱為長門府中藩,簡稱長府藩。石高起初為六萬石,第三代長府藩主毛利綱元襲封時(承應二年,一六五三)撥出一萬石給叔父毛利元知作為支藩(因為綱元沒有兄弟)而剩下五萬石,此即清末藩(山口縣下關市清末)。

元和三(一六一七)年四月毛利輝元封十六歲的次男就隆在周防國都濃郡(山口縣周南市一部分)作為長州藩支藩,藩廳最初在下松(山口縣下松市),故稱為下松藩。慶安三(一六五〇)年毛利就隆將藩廳遷徙至德山,改稱為德山藩,石高四萬石。

由以上敘述可看出長州的三個支藩長府、清末及德山,皆為毛利輝元之異母弟秀元及其次男就隆的子孫。

除三支藩外,長州藩家門最高的共有八家,包括一門六家和福原、益田兩家準一門家。這八家都是永代家老,分別簡介如下:

一、宍戶家

家祖為毛利元就長女五龍局(生母為元就正室妙玖)的夫婿宍戶隆家,嚴格說來宍戶家是毛利氏的姻親而被視為一門眾，而且還是一門家老筆頭。石高為一萬一千餘石，領地位在周防國三丘（山口縣周南市）。

二、右田毛利家

家祖為毛利元就七男天野元政，原本繼承安藝國人眾天野元定，關原之戰結束後回歸本家，石高為一萬六千餘石（八家最高），領地位在周防國右田（山口縣防府市）。

三、厚狹毛利家

家祖為毛利元就八男末次元康，幼年過繼給周防名門椙杜氏當養子，之後被任命為月山富田城主而回歸本家，石高為八千三百餘石，領地位在長門國厚狹郡。

四、吉敷毛利家

家祖為毛利元就九男小早川秀包，早年為異母兄小早川隆景的養子，之後養父改收木下家定（秀吉正室高台院兄長）五男秀俊為養子（小早川秀秋）而轉封筑後久留米。關原戰後遭到除封回歸本家，石高約為一萬一千石，領地位在周防國吉敷郡（山口縣山口市吉敷）。

五、阿川毛利家

家祖為吉川元春次男繁澤元氏，早年曾為大內氏降將仁保隆在的養子，之後由女婿繼承仁保氏而回歸本家。關原之戰後被拔擢為一門家老，石高為七千三百餘石，領地位在長門國阿川（山口縣下關市豐北町）。

六、大野毛利家

家祖為吉川廣家次男毛利就賴，早年為石見國人眾吉見氏養子，寬永十四（一六三七）年藩主毛利秀就准許毛利就賴回歸本家，由於成立最晚，因此地位僅高於福原、益田兩家準一門家。石高為八千六百餘石，領地位在周防國熊毛郡（山口縣上關町、田布施町、平生町等地）。

七、福原家

家祖為福原貞俊，福原氏原本就是毛利氏的庶流，也是毛利元就生母的本家，從貞俊生父廣俊起受到元就的重用。元就去世後，福原貞俊與吉川元春、小早川隆景、口羽通良四人一起擔負輔佐毛利輝元之責。石高為一萬一千餘石，領地位在長門國宇部（山口縣宇部市）。

八、益田家

家祖為益田藤兼，原為投靠大內氏的石見國豪族，於元就的防長經略期間轉而投靠毛利氏。藤兼長男元祥娶元就次男吉川元春之女為正室而成為吉川氏姻親。石高為一萬二千餘石，領地位在長門國須佐（山口縣萩市須佐）。

從以上的敘述可看出不管是三支藩，或是一門六家（外加兩家準一門家）都沒有吉川廣家的嫡系（阿川毛利家和大野毛利家雖是吉川元春的後裔，但是實際上屬於毛利氏的分支，而非吉川氏），那麼關原之戰結束後吉川廣家的待遇如何？其後裔的待遇又是如何呢？

吉川元春及其長男元長先後於天正十四、五(一五八六、八七)年病逝,元春次男繁澤元氏如前文所述為大內氏降將仁保隆在的養子,因此由三男廣家家督相續繼承吉川氏,入主吉川氏的居城日野山城(廣島縣山縣郡北廣島町)。天正十九年秀吉命他取代毛利元就八男末次元康成為月山富田城城主,並讓廣家支配月山富田城附近的出雲國三郡、伯耆國兩郡以及隱岐共十四萬石的領地。

關原之後毛利氏僅剩防長二國,廣家的領地自也不復存在,但是毛利輝元旋即賜以玖珂郡(山口縣岩國市)領地三萬石(第四代當主吉川廣紀石高增為六萬石),也稱為岩國領。

玖珂郡是長州藩領地最東境,毛利輝元將吉川廣家安插在這裡,與前文提過將毛利秀元安插在最西境的豐浦郡有相同用意——希望這兩位與毛利氏有血緣關係的一門眾能成為毛利氏的屏障,肩負起保衛長州藩東西邊境之任務。吉川廣家雖未位列於一門六家和準一門家共八家的永代家老,然而在毛利家今非昔比之際對吉川廣家給出僅次於毛利秀元的待遇,從輝元的處置來看並無對吉川氏不滿。

相較於三支藩與輝元的血緣關係,非輝元嫡系的吉川廣家應該沒有要求成為大名的理由。但是就幕府而言的確視吉川氏為一獨立大名(在江戶城伺候席雖是無席,但是大名格式被歸類為城主），因此江戶時代吉川氏在幕府和宗家之間的地位，猶如《伊索寓言》裡蝙蝠到底屬於哺乳類或鳥類的故事一樣尷尬。

總之，吉川廣家在世時與毛利宗家間大致上還算相處融洽，到廣家長男廣正與輝元長男毛利秀時就趨向不合（儘管廣正是秀就的妹婿），連帶也讓岩國領與長州藩的關係惡化，到了兩家家臣也彼此仇視的程度。廣正在尋求獨立成為大名失敗後，便努力發展岩國領的特產和紙，讓和紙成為岩國領的專賣。第三代領主廣嘉致力於文化事業，完成今日岩國市境內最有名的景點錦帶橋，與接下來的廣紀迎來岩國領的全盛期，而同時間的長州藩卻陷入財政困境。

明和元（一七六四）年十月十三日第六代岩國領主吉川經永去世後，廣家的血統斷絕，指定生前收養的養子毛利豐房（第五代德山藩主毛利廣豐九男）繼任，改名吉川經倫。

幕末時期第十二代岩國領主吉川監物（名經幹，是經倫的曾孫）成了挽救長州藩存續的功臣。他在第一次征討長州（詳見第二部第十二章）時代表長州出面與征長總督德川慶恕及征長總參謀西鄉吉之助斡旋，以國司信濃、福原越後、益田右衛門介三位家老切腹為代價解散征長軍。長州和岩國兩家的恩怨到吉川經幹時終於得以化解，經幹在維新回天前夕病逝，但長州藩主毛利敬親隱瞞死訊，在維新回天後終於讓岩國領升格為岩國藩，使吉川經幹成為藩主（實際上藩主為其長男經健）。

明治四（一八七一）年七月十四日廢藩置縣，吉川經健與長州藩主毛利元德（幕末時的名字為定廣）同時失去藩主的頭銜與領地，一切恩怨俱往矣！

岩國藩嚴格說來只有三年多的歷史，而且只有一位藩主。

三、防長天保一揆

關原的敗戰使得長州藩在秀就時備感財政困難，輔政的毛利秀元下令在藩境內大量進行新田開發。寬永二（一六二五）年的檢地結果，石高竟提升至近六十五萬八千三百石，然而實際的年貢總額只有半數的三十二萬餘石。另外由益田元祥主持的財政改革也在寬永年間積存了銀三千貫、米一萬一千六百餘石，江戶時代除開國後的幕末時期外，大致上銀一貫約等於十三兩、米一石約等於一兩，換算後長州藩約積存了五萬兩左右。此後長州藩的實高（實際上的石高）持續提升，進入元祿時代前夕已到八十一萬八千餘石，幾乎與薩摩藩相等。

秀就的血統到第四代藩主毛利吉廣病逝後斷絕，第三代長府藩主毛利綱元長男元倚，以毛利吉廣末期養子的方式襲封第五代長州藩主，並得五代將軍德川綱吉賜予偏諱，改名毛利吉元。財政有所起色的長州藩，在綱廣、吉就、吉廣三代五十餘年期間又陷入惡化，吉元襲封後首先減少參勤交代的人員，以求舒緩財政繼續惡化，然而成效甚微。吉元之後的宗廣庸庸碌碌，且於寬延四（一七五一年）年早逝無嗣，第七代藩主只得再從第一順位的支藩長府藩提供人選。

當時的長府藩主是已經當了十六年藩主的毛利匡敬，他於寬延四年繼承本家並改名毛利重就，是日後幕末時期長州藩主毛利慶親的曾祖父。在長州藩史中第七代藩主重就佔有關鍵至極的地位，他在藩主任期（寶曆元年～天明二年；一七五一～八二）成立類似公賣局的「撫育方」，由撫育方推動米、紙、鹽、蠟增產專賣，另外成功地整備港灣，持續為幕末時期的長州藩積存實力。此外，在進行檢地上也取得成效，使長州藩的石高再往上提升四萬一千餘石，總計達到近八十六萬石。

重就之後接連五代藩主的在位時間大多不長，藩政上除第十代藩主齊熙外也沒有太大的建樹，第十代藩主毛利齊熙在位期間（文化六年～文政七年；一八〇九～二四）整頓海防和西式軍備等軍事擴建計畫，提升長州藩的實力。不過隱居後的齊熙卻變了樣，在江戶下屋敷麻布藩邸（東京都港區赤坂九丁目）過著享樂的生活。且齊熙就任藩主期間的軍事擴建計畫重擊長州的財政，藩士的俸祿連帶受到影響。

不過，真正讓長州藩陷入一揆風暴的，是繼任的藩主齊元（毛利重就六男親著的長男，過繼給齊熙當養子）在位期間（文政七年～天保七年；一八二四～三六）為養子保三郎（齊熙次男，元服後改名齊廣）於文政十三（一八三〇）年三月迎娶將軍家齊十九女和姬（院號貞惇院）而舉辦的奢華婚宴。

結果和姬同年十二月病逝於江戶上屋敷櫻田藩邸（東京都千代田區日比谷公園內），一年內長州又要辦同等規模的喪禮。對於已經被剝削殆盡的長州又遇上天保二（一八三一）年的饑饉，憤怒的農民於當年七月在周防國吉敷郡小鯖村（山口縣山口市東部）展開暴動，襲擊官員、搗毀哄抬米價的豪農。暴動的範圍逐步擴大，遍及防長二州共十郡及長府、德山、清末三支藩，據統計共超過十三萬農民參與一揆，大概佔了當時整個長州藩人口的五分之一到四分之一，被搗毀的建築物多達七百多間。

齊元不得不接受農民提出的減輕年貢、村政改革之要求，但是對於參加一揆的首謀卻從重處分，首謀六名全部處斬梟首，主要的八名滋事成員被關在只有一疊大小的囚房、任其自生自滅，有數人在衛生環境極差的獄中死去，手段雖然殘酷，但總算鎮壓住長州藩有史以來規模最大的一揆。

天保七（一八三六）年五月十四日，隱居多年的第十代藩主毛利齊熙病逝，享年五十三歲；同年九月八日第十一代藩主毛利齊元病逝，享年四十三歲；十二月十日齊熙次男齊廣襲封，但是十二月廿九日離奇的死在江戶上屋敷櫻田藩邸，得年廿四歲。

不到一年內接連三位前藩主、藩主去世，於是齊元十八歲的長男教明以齊廣末期養子身分襲封，他即是幕末時期有「就這麼去做吧大人」（そうせい侯）外號之稱的第十三代藩主毛利慶親。

四、村田清風的改革

毛利慶親襲封藩主時長州負債八萬貫銀，以前文提及的匯率換算大概在一百萬兩上下，這筆債務和前文提及的薩摩藩五百萬兩藩債相比或許不算什麼，然而論負債之多無出薩摩、長州之右，可偏偏卻是負債最多的兩個藩，主導日後的維新回天大業！

天保八（一八三七）年慶親襲封藩主，登用家格為大組[15]、俸祿一百六十石的村田四郎左衛門（名清風）擔任改革。翌年慶親拔擢村田為表番頭兼任江戶仕組掛，由於慶親光出一句「就這麼去做吧」，長州的藩政改革也就落到村田身上。

村田看準下關海峽是日本海沿岸、九州北部諸藩運送物資前往大坂的必經之路，便針對這些通過船隻徵收過路費，由於終年無時不刻都會有通過下關海峽的諸藩船隻，因此徵收的過路費累積下來即是一筆相當可觀的收入。

其次，針對紙、蠟、米、鹽等所謂的「四白」採取生產專賣的制度，這與調所笑左衛門在薩摩藩推動的黑糖專賣頗為類似，均藉由專賣取得更大的利潤。村田另於下關設置「越荷方」，這是由長州藩經營的金融機關兼倉庫業，經過下關海峽的船隻可暫時將行李寄放於此，從大坂返回時再於下關提領出來，村田起用下關豪商白石正一郎、中野半左衛門作為負責和經過船隻交涉的越荷方。白石早年跟隨平田派國學者鈴木重胤學習國學，傾向勤王思想，幕末時期凡是勤王志士幾乎無不受過他的資助（包括西鄉吉之助、武市半平太、坂本龍馬在內），文久三（一八六三）年高杉晉作多虧他的資助，才得以成立奇兵隊（關於奇兵隊將於第三部介紹）。

自天保九（一八三八）年正式主持藩政改革的村田清風，到天保十二年時已償還一大半的藩債，村田接著針對負債累累的中下級武士制定《三七年賦皆濟仕法》，規定家臣若借貸公款銀一貫目，每年償還三十目，以三十七年時間還清本利。此法因時間過長且利息過低，甫一頒布就受到武士債主們的反對，村田為挽救武士的經濟狀況決定強行推動。債主們與反對村田改革的武士——以坪井九右衛門為首——以及長州藩主的奧向聯手，向毛利慶親指謫村田的不是。天保十五（一八四四）年六十三歲的村田突然中風倒下，毛利慶親以此為契機勸退村田辭職靜養，改由江戶方祐筆[16]役坪井九右衛門繼續村田的改革。

15　大組：藩主的直屬家臣，職責為警衛萩城，允許騎馬故也稱為馬廻組。
16　祐筆：也稱為「右筆」，中世及近世擔任武家秘書的文官，職責為替武家大名執筆寫文章。

坪井為答謝護航他的債主們，廢除《三七年賦皆濟仕法》，但為了不得罪中下級武士，只好由藩出錢償還武士的債務。然而坪井事先恐怕沒有評估武士債務的金額，結果因為支出過多，險些斷送村田改革的成果，坪井也因此下台。筆者在第二部第十二、十三兩章將提到長州正義派、俗論派兩派之爭，而在村田清風與坪井九右衛門身上已可見到端倪。村田的改革之路由之後的周布政之助繼承，該派人士多為尊王攘夷，如桂小五郎、高杉晉作、久坂玄瑞等人；坪井九右衛門派之後的領袖主要為椋梨藤太，採取佐幕的路線。

大致說來長州藩在村田的改革下成果豐碩，在還清八萬貫銀負債後還有充裕的積蓄，而石高方面也正式突破百萬石，與約略同時期藩政改革成功、還清五百萬兩藩債的薩摩藩一同步上雄藩之路！

長州藩歷代藩主

代數	藩主	官位	出自
初代	毛利秀就	從四位下右近衛權少將	毛利輝元長男
二代	毛利綱廣	從四位下大膳大夫	毛利秀就四男
三代	毛利吉就	從四位下長門守	毛利綱廣長男
四代	毛利吉廣	從四位下大膳大夫	毛利綱廣次男
五代	毛利吉元	從四位下長門守	長府藩主毛利綱元長男
六代	毛利宗廣	從四位下大膳大夫	毛利吉元六男
七代	毛利重就	從四位下式部大輔	長府藩主毛利匡廣十男
八代	毛利治親	從四位下大膳大夫	毛利重就四男
九代	毛利齊房	從四位下大膳大夫	毛利治親長男
十代	毛利齊熙	從四位下大膳大夫	毛利治親次男
十一代	毛利齊元	從四位上大膳大夫	毛利重就六男毛利親著長男
十二代	毛利齊廣	從四位下大膳大夫	毛利齊熙次男
十三代	毛利慶親	從四位下大膳大夫	毛利齊元長男
十四代	毛利元德	從三位參議	周防德山藩主毛利廣鎮十男

毛利家系圖

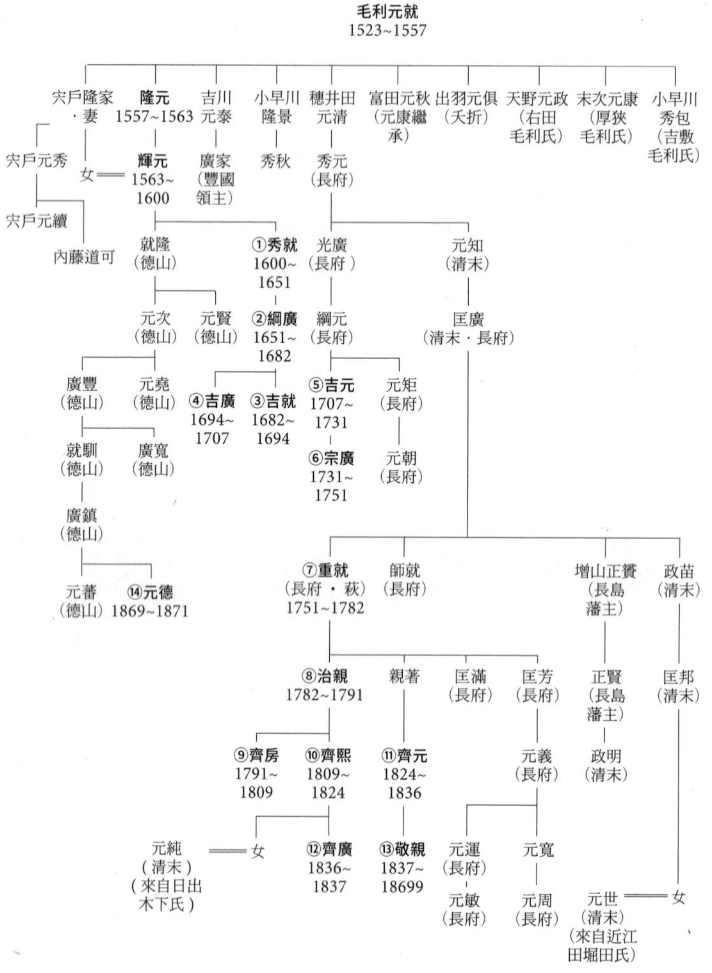
毛利元就
1523~1557
宍戶隆家・妻
隆元
1557~1563
吉川元泰
小早川隆景
穗井田元清
富田元秋（元康繼承）
出羽元俱（夭折）
天野元政（右田毛利氏）
末次元康（厚狹毛利氏）
小早川秀包（吉敷毛利氏）
宍戶元秀
女
輝元
1563~1600
廣家（豐國領主）
秀秋
秀元（長府）
宍戶元續
內藤道可
就隆（德山）
①秀就
1600~1651
光廣（長府）
元知（清末）
元次（德山）
元賢（德山）
②綱廣
1651~1682
綱元（長府）
匡廣（清末・長府）
廣豐（德山）
元堯（德山）
④吉廣
1694~1707
③吉就
1682~1694
⑤吉元
1707~1731
元矩（長府）
就馴（德山）
廣寬（德山）
⑥宗廣
1731~1751
元朝（長府）
廣鎮（德山）
元蕃（德山）
⑭元德
1869~1871
⑦重就（長府・萩）
1751~1782
師就（長府）
增山正贇（長島藩主）
政苗（清末）
⑧治親
1782~1791
親著
匡滿（長府）
匡芳（長府）
正賢（長島藩主）
匡邦（清末）
⑨齊房
1791~1809
⑩齊熙
1809~1824
⑪齊元
1824~1836
元義（長府）
政明（清末）
元純（清末）（來自日出木下氏）
女
⑫齊廣
1836~1837
⑬敬親
1837~18699
元運（長府）
元寬
元敏（長府）
元周（長府）
元世（清末）（來自近江田堀田氏）
女

長州藩領

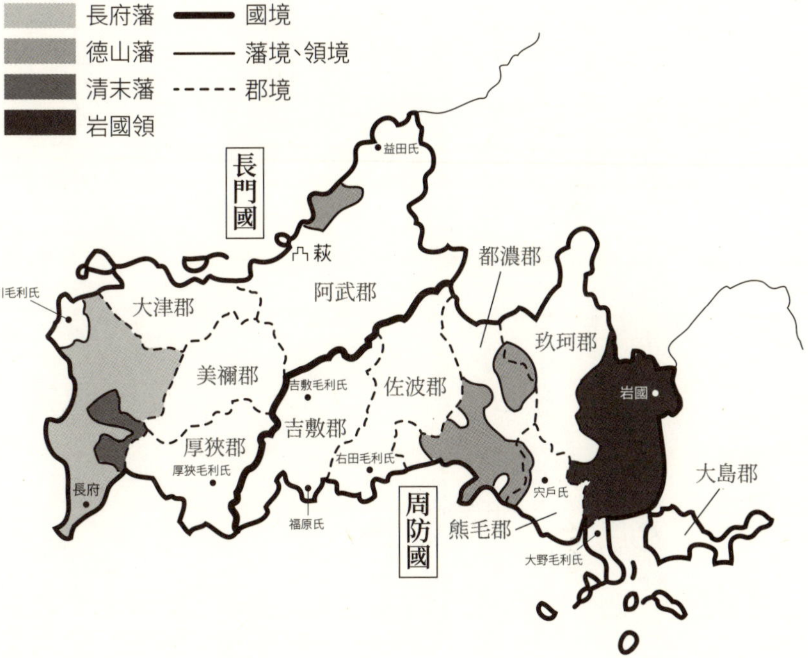
長府藩
德山藩
清末藩
岩國領
國境
藩境、領境
郡境
長門國
周防國
益田氏
萩
阿武郡
大津郡
阿川毛利氏
美禰郡
吉敷毛利氏
吉敷郡
厚狹郡
厚狹毛利氏
長府
佐波郡
右田毛利氏
福原氏
都濃郡
玖珂郡
岩國
宍戶氏
熊毛郡
大野毛利氏
大島郡

土佐藩

種類：外樣
總石高：二十四萬二千石
藩廳所在地：高知城
別稱：高知藩
極位極官：從四位下土佐守

在江戶城的伺候席：大廣間
大名格式：國持大名
支藩：土佐新田藩（一萬三千石）
著名藩主：
山內一豐、山內忠義、山內豐信（容堂）

一、長宗我部氏到山內氏

從平安時代末期到關原之戰結束為止，土佐國長岡郡大致都是長宗我部氏的領地。長宗我部氏乃長岡郡的宗我部氏之略，為了與香美郡的宗我部氏區別而稱之（後者略稱為香宗我部氏）。儘管名稱相似，氏族的來源並不相同，長宗我部氏一般咸認是歸化人秦河勝（六世紀末期）的後裔；至於香宗我部氏普遍認為是甲斐源氏嫡系武田氏的分支。

從平安時代末期到關原之戰結束的五百多年，大部分時間長宗我部氏只擁有土佐國長岡郡一帶的領地，直到有「土佐能人」（土佐の出来人）之稱的長宗我部元親逐步完成土佐的統一，進而出兵進攻讚岐、阿波、伊予三國，天正十三（一五八五）年四月為止，除上述三國的邊緣地帶外，元親幾乎完成四國的統一。

可是卻在此時，信長的繼承者秀吉率領超過十萬兵力，從讚岐、阿波、伊予兵分三路進攻四國。長宗我部氏的一領具足[17]再怎麼驍勇善戰也不敵秀吉裝備精良的大軍，不得不於同年七月向已被朝廷敘任關白的秀吉降伏。秀吉似乎在出兵前就已充分授權給秀長決定四國的分封，長宗我部元親只得到土佐一國的安堵，淡路（脇坂安治、加藤嘉明）、讚岐（仙石秀久、十河存保）、阿波（蜂須賀家政、赤松則房）、伊予（小早川隆景、安國寺惠瓊、來島通總）等國分封給出兵四國有功的將領。

四國平定後，曾經稱霸北九州的大友義鎮（法號休庵宗麟）前往大坂城謁見秀吉，以近乎哀求的語氣懇求秀吉出兵九州，解救受到島津氏入侵而領土日益短蹙的大友氏。秀吉以島津氏違反《惣無事令》為由出兵九州，以土佐一國安堵的長宗我部元親・信親父子奉命與

17　一領具足：本身並無領地但可以自行開墾田地的特殊武士，平時耕種及練習武藝，只要接到出征的命令迅速加入戰陣。僅有甲冑一套、戰馬一匹。

仙石秀久、十河存保等四國軍擔任先鋒，在秀吉大軍登陸九州前先與大友軍會合。仙石秀久在與島津氏作戰的意見上和其他四國軍將領出現歧異，一意孤行的他堅持己見，導致元親的長男信親與十河存保戰死，儘管仙石違反軍令而被秀吉改易，但已挽不回元親失去嫡男的事實。

信親的死對元親造成極大打擊，哀慟之餘，元親另覓地點建築新城。早在天正十二年，元親就有捨棄位在長岡郡的居城岡豐城（高知縣南國市）另覓他地建築新城的念頭，只是當時元親的心力全放四國統一上而未能實行，直到信親戰死後才開始建築新城的行動。新城地點擇定在岡豐城以西、土佐郡大高坂山下鏡川河口附近，不過鏡川的水害難以克服只得放棄，新居城的地點再往西遷到吾川郡浦戶灣出海口桂濱附近，於天正十九年完工，命名為浦戶城（高知縣高知市浦戶，城址包含坂本龍馬紀念館、桂濱龍馬銅像）。

除長男信親之外，元親還有次男親和（過繼給西讚岐守護代香川之景當養子）、三男親忠（過繼給剛降伏的土佐國豪族津野勝興當養子）以及四男千熊丸三個兒子，隨著年事漸高，元親勢必要在剩下三個兒子中選出繼承人。當初會送出次男親和、三男親忠當養子是基於四國攻略的考量，尤其是次男親和過繼給以讚岐國西部為本貫（武家苗字由來的土地）的香川家，在秀吉四國征討過程中曾與之對抗的香川氏遭到改易而滅亡，養父家滅亡的香川親和於是返回岡豐城。

天正十五年香川親和突然死去，得年廿一歲，有一說是因為香川氏遭到改易，孑然一身返回生家的親和被生父排除在繼承人之外，雙重打擊之下抑鬱而終。那麼，親和為何會被元親排除在繼承人選之外？元親在翌年決定後繼人選時曾說道：

「信親之女與四男右衛門太郎結為夫婦，我要立有嫡男的血統統治土佐國。」

換言之，不是娶信親之女的香川親和已被排除在外，右衛門太郎中選的原因不光是得到元親的溺愛，而是因為他娶了信親之女的緣故，當然也有可能反過來因為溺愛右衛門太郎而讓他娶信親之女。總之，娶信親之女是右衛門太郎成為元親繼承人的重要因素。

儘管立千熊丸為繼承人一事已拍板定案，元親二弟吉良親貞的次男左京進親實堅決主張三男津野孫次郎親忠才智卓越，有資格立為繼承人，而右衛門太郎盛親與姪女結婚，這樣的婚姻顯得不自然。吉良親實雖出於一番好意，但是批評千熊丸和信親之女的婚姻等於批評到撮合這樁婚姻的元親，信親戰死後進入老境的元親已沒有早年致力於四國統一時的英明及雅量，他下令逮捕吉良親實。加上家臣中向來被評為「梶原[18]再世」的久武內藏助親直向元親意有所指地指出吉良親實圖謀不軌，意在分裂長宗我部氏。失去判斷力的元親下令擁護津野親忠的吉良親實及比江山掃部助親興（生父國康為元親生父國親之弟，是元親的堂弟）切腹，不少家臣如秦泉寺大和守之子掃部、橫山伊賀等人，被視為吉良親實的同黨而遭元親發兵討滅，吉良親實已出家的兄長如淵亦被下令賜死，吉良氏因此滅亡，不過津野親忠並未受到元親處分。

千熊丸的繼承路上已不再有任何人造成阻礙，天正十六年元親派人護送千熊丸上洛，找上五奉行之一的增田長盛，請他擔任千熊丸元服的烏帽子親，千熊丸於是改名長宗我部右衛門太郎盛親，家督的繼承資格終於確定下來。

在秀吉病逝前便從朝鮮半島撤回的元親，於伏見的宅邸養病，到年底遷回土佐期間曾與家康照會面談，內容應該與關照盛親有關。慶長四（一五九九）年四月，元親為了醫病上洛，但最終藥石罔效，於五月十九日在伏見病逝，享壽六十一歲。成為家督的盛親聽信久武親直之言幽閉津野親忠，之後盛親迎來使家族滅亡的關原之戰。由於增田長盛擔任盛親的烏帽子親，盛親在之後的關原之戰勢必得和增田長盛站在同一陣營。但駐軍南宮山的長宗我部盛親受到前文提及的「宰相大人的空便當」之累，最終一兵未發地眼看關原之戰結束。

然而從關原戰場上撤回的盛親，首要之事並不是派人向家康求情，請求赦免加入西軍之罪，而是聽從久武親直的通敵之言殺害幽閉中的津野親忠，然後才派出謝罪使透過德川四天王之一的井伊直政鄭重地向家康謝罪。長宗我部氏並非家康一統天下的障礙，在關原之戰前以及戰場上都未與東軍有軍事上的衝突，原本有意讓長宗我部維持土佐一國的安堵。然而盛親殺害津野親忠的消息傳來，家康便以此為責難的口實將長宗我部氏改易，把土佐一國轉封給關原之戰前夕將居城掛川城交由家康自由使用的山內一豐。

山內一豐，通稱伊(猪)右衛門，是岩倉織田氏的重臣山內盛豐的三男，父親在與織田信長戰死後失去領地，流浪各國。期間亦曾在多位主君任官，永祿・元龜年間(一五七〇左右)被信長指派為秀吉的與力，據說姉川之戰為伊右衛門的初陣，此時他已經廿五歲。三年後在消滅朝倉氏的刀根坂之戰中伊右衛門立下戰功，戰後得到四百石領地，成為小領主的

18 指平安末期源義經消滅平家過程中跟隨在旁的軍監梶原景時，在軍紀物語中梶原被塑造成在賴朝身旁中傷義經的小人。

伊右衛門與小他十一歲的見性院千代成親。

之後數年伊右衛門追隨秀吉征戰各地，在小田原之役結束後隨著家康轉封關東，空出的三河、遠江、駿河、甲斐、信濃等舊領由秀吉安插自己的親信，作為自己與家康之間的緩衝地帶。封田中吉政於三河岡崎（愛知縣岡崎市康生町），石高為五萬七千石；封堀尾吉晴於遠江濱松（靜岡縣濱松市中區），石高為十二萬石；封伊右衛門於遠江掛川（靜岡縣掛川市掛川），成為石高六萬石的小大名。

伊右衛門之所以能從掛川的小大名搖身一變為土佐一國的國持大名，並不是因為他在關原之戰立下諸如捉住石田三成或是小西行長一類的大功，年紀只小家康四歲的伊右衛門也沒有足夠的體力，像福島正則、黑田長政、池田輝政以精湛的武藝在戰場上取下敵人的首級，那麼為何伊右衛門能與上述武將並列為國持大名呢？

家康在征討上杉景勝前夕得知石田三成在畿內舉兵的消息，為了決定接下來是繼續征討上杉，或是將大軍折回與三成決戰而召開了「小山評定」，伊右衛門在軍議中主動向家康獻出城郭與領地，這才是伊右衛門能成為國持大名的關鍵。此舉不僅意味與豐臣氏徹底斷絕臣屬關係，還露骨地表現出與德川氏休戚與共的決心。更重要的是，掛川城位在東海道交通要衝上，這裡有著秀吉精心布置用來防範萬一家康越過箱根關[19]的衛星城郭，越過箱根關後首當其衝的駿河府中城（靜岡縣靜岡市葵區），以豐臣政權三中老之一的中村一氏（石高為十四萬石）為城主；接著是遠江橫須賀城（靜岡縣掛川市西大淵），以有馬豐氏（石高為三萬石）為城主；然後是遠江掛川城的山內一豐、遠江濱松城的堀尾吉晴、三河吉田城（愛知縣豐橋市今橋町）的池田輝政（石高為十五萬二千石）、三河岡崎城的田中吉政、尾張清洲城（愛知縣清須市一場）的福島正則（石高為二十四萬石）。

上述這些城郭猶如念珠串般的排列著，城郭與城郭間的距離不超過五十公里，因此伊右衛門的提議使得同樣位在東海道沿線的城主難以保持沉默，結果這些城主悉數附和伊右衛門獻出城郭，家康因而得以兵不血刃地從箱根關以東挺進到清洲城，離決戰的關原戰場差不多只有四十公里的距離，對關原之戰的結果大有影響。已故的歷史小說作家司馬遼太郎在《關原》（関ヶ原）中，藉由家康與本多正信的對話點出伊右衛門無形的貢獻：

19　位於神奈川縣足柄下郡箱根町與靜岡縣田方郡函男町之間，是古代關東進入東海道的要道，所謂的「關東」即是箱根關以東。

論功行賞之際，就連本多正信都對家康的慷慨大方感到驚奇，說道：

「對州（山內一豐的官名）沒立功，卻是這般。」

家康回答：

「戰場上的衝殺誰都能做到。但小山會議上山內對馬守那句話，似乎決定了關原大戰的勝利。」

就連本多正信也覺得以伊右衛門的才能，賜以土佐一國二十萬二千餘石未免過多。正因家康賜予伊右衛門名實不符的俸祿，使得伊右衛門從此對德川家感恩戴德，並要代代遵守，不可做出任何有違逆德川家的行為，簡直比譜代大名還要忠心。幕末土佐藩士在京都舉行酒宴酒酣耳熱之際，有時會被其他藩士問道：

「貴藩藩祖一豐公當年是憑藉什麼本事從神君（家康）手上拜領二十四萬石啊？」

話雖說得客氣，聰明人一聽就知言詞中滿是嘲諷之意。此話若被土佐上士聽到，可能會按耐不住拔刀與對方決鬥，不過鄉士們倒是看得很開，經常以「可能是多虧了一豐公那看起來很有福相的臉吧！」這類話來解嘲。

幕末成立土佐勤王黨的武市半平太訴求由山內容堂舉藩勤王，為朝廷效力。然而對土佐藩有恩情的是德川家，是江戶幕府，與朝廷並無關聯，舉藩勤王、為朝廷效力的下一步很有可能就是倒幕，這對自幼被教導為不可忘記德川家恩澤的山內容堂是難以容忍之事，容堂不僅無法贊同武市，後來還下令血腥鎮壓土佐勤王黨，其緣由實種因於伊右衛門在關原之戰受到過度的提拔之故！

二、撲滅一領具足

慶長五（一六〇〇）年十月十七日，伊右衛門帶著長宗我部盛親的重臣立石助兵衛正賀、伊右衛門之弟修理亮康豐、井伊直政的家臣以及山內氏若干家臣共約二百餘人，分乘八艘船從大坂出發。出大坂灣後穿過紀淡海峽南下，然後轉向朝西、經太平洋進入土佐灣中的浦戶灣，三日後一行人在桂濱下船，不過在土佐等待著伊右衛門等人的卻是長宗我部氏家臣的反抗。

伊右衛門當初聽從井伊直政的建議，讓長宗我部盛親的重臣立石助兵衛正賀一同前往土佐，為的就是若出現這種場面時可由立石勸說長宗我部氏的家臣接受山內氏統治土佐的事實。立石在船上對著抗拒伊右衛門到來的長宗我部家臣說道：「如今盛親被扣留在大坂，若山內氏能順利進入土佐，盛親就有生還的希望，否則恐有不測……」

立石這番話打動了長宗我部氏家臣，然而，對於不屬於長宗我部家臣的一領具足並無任何約束力。他們打從內心厭惡外來的山內一豐，毫不妥協地聚集在土佐境內、反抗山內氏及其家臣的進入，一領具足的反抗使得伊右衛門到慶長五年十一月底還滯留大坂，未能進入土佐。隨著時日拉長，長宗我部的家臣也開始擔心山內一豐再不統治土佐，長宗我部盛親的性命就會不保，在井伊直政派來的家臣鈴木平兵衛慫恿下，長宗我部的家臣決定自行征討一領具足以換得盛親的性命。

一位名為桑名彌次兵衛（名吉成）的中年家老率領十名劍術精湛的家臣，前往一領具足佔領的雪蹊寺（高知縣高知市長濱，長宗我部氏的菩提寺）佯裝前來談判。桑名彌次兵衛在一領具足中亦有極高名氣，加上他只帶來十人，便不疑有他地讓他入寺。桑名彌次兵衛一行一進入雪蹊寺立刻拔刀斬殺一領具足的首領們，然後依事先的約定，由長宗我部氏的其他家臣率軍攻入雪蹊寺與一領具足作戰。戰至翌日清晨，一領具足潰敗，共計被砍下二百七十三顆首級，結束所謂浦戶一揆的亂事，長宗我部氏的家臣將其獻給鈴木平兵衛，由他轉呈給人在大坂的伊右衛門及井伊直政。

十二月一日，伊右衛門之弟康豐接收浦戶城，但土佐一國還未能安定下來，因此伊右衛門只得放棄在土佐迎接慶長六年的打算。慶長六年正月十三日，伊右衛門終於在桂濱下船，看到浦戶城內外終於插滿山內氏圓形三柏的旗幟，伊右衛門不由得感觸良深：

「我終於也成為一國之主了！」

不過一領具足對伊右衛門的抗拒並未因浦戶一揆的敗北而斷絕，他們仍在土佐各地抵抗。伊右衛門為此頭痛不已，他依土佐一國各地的年收成對跟隨自己的家臣進行分封，藉由讓家臣成為擁有領地的領主，由他們代替自己在各地征討一領具足。

伊右衛門的家臣中資歷最久的當數祖父江新右衛門（名不詳）與五藤吉兵衛（名為淨）兩人，不過五藤吉兵衛在天正十一（一五八三）年的賤嶽之戰前夕進攻伊勢龜山城（三重縣龜山市本丸町)時戰死，賞賜的對象轉為其弟五藤內藏助為重，分別賜予一千四百石及五千石的領地。

二〇〇六年的NHK大河劇改編自司馬遼太郎以山內一豐及其妻見性院千代為主人公的作品《功名十字路》(功名が辻)，該劇由景仰坂本龍馬的武田鐵矢飾演五藤吉兵衛，不過原本武田並不願飾演後代子孫在土佐藩欺壓鄉士的這一角色。在劇組人員再三解釋之下，說明他飾演的五藤吉兵衛在進入土佐之前就已死去，才終於讓武田鐵矢同意演出。

伊右衛門的首席家老深尾湯右衛門重良石高一萬石，是所有家臣之最。乾和信(其弟和三即幕末時乾退助的祖先)領有四千五百石、家老格寺村太郎左衛門重友(寺村左膳的祖先)領有四千五百石、家老福岡市右衛門領有一千石、百百三郎左衛門(名綱家)領有七千石。

長宗我部的家臣在伊右衛門入主土佐後大多選擇離開、投靠其他大名，像前述的立石助兵衛正賀被細川家(此時在豐前小倉，石高為三十九萬九千石)以一千五百石聘用，桑名彌次兵衛被藤堂家(此時在伊予今治，石高為二十萬石)以二千石聘為家老，其他家臣被其他藩以一百石以上聘用的多達百人。只有少數家臣如吉田政重・正義兄弟為伊右衛門聘用，幕末時期土佐藩參政吉田東洋即是吉田正義的子孫。

不過伊右衛門抱定主意，不聘用任何一個一領具足。

「敢對抗我這個二十四萬石的土佐新國主，休想要我聘用你們！」

不僅如此，還下令取消一領具足的武士身分，與土佐其他的農、工、商一同接受伊右衛門從遠江掛川帶來之武士的統治。於是前者被稱為鄉士，後者則稱為上士，從伊右衛門下令取消一領具足的武士身分這一刻起，土佐便陷入外來的統治者(上士)與本土的被統治者(鄉士)對立的局面。到了幕末，上士和鄉士對於勤王或佐幕的見解不一致，使得藩主山內容堂和上士不僅展開肅清鄉士的行動，對外也任由京都所司代、京都町奉行、伏見奉行所、京都見廻組、新選組等維持京都治安的機關和組織捕殺土佐鄉士，以至於維新回天後土佐的人才出現斷層。

伊右衛門對家臣進行領地的分封後，撲滅一領具足的工作就落在首席家老深尾湯右衛門重良及其他重臣的身上，伊右衛門則派人前往京都，將正室見性院千代接來土佐。另外，伊右衛門曾經仕於信長、秀吉，見識過當時日本最新式的城郭，儘管那時伊右衛門身分低微，也充滿對建造新式城郭的期待。

「如果有一天能成為一國之主，一定要住在有天守閣的城郭裡。」

如今成為一國之主的夢想成真，伊右衛門更覺得自己配得上一座有直衝天際的天守閣的新式城郭，但是看看建在桂濱旁的浦戶城，那是長宗我部元親在天正末期費時四年修建的城郭。

「真寒酸，土佐國主怎麼能住在山砦裡？」

伊右衛門雖有修築新城的想法，事前還必須徵得家康的同意才行，為此伊右衛門前往大坂城謁見家康。對於同樣一件事，家康的同意與否因人而異，在家康看來伊右衛門雖然不太具備武將的特質，在關原之戰也沒有實質的戰功，但是從他獻出城郭與領地可看出對德川家的忠心。家康想建立的是個沒有戰爭的永久政權，因此諸如加藤清正、福島正則這些武藝高超、能力卓越的武將反而會成為德川家的威脅，像伊右衛門這種長處只有老實和忠心的武將才是往後德川政權需要的棟梁，因此家康輕易地答應伊右衛門築城的要求，據說還發生以下這則軼聞：

家康向伊右衛門問道：

「對州大人，土佐一年有多少收成？」

伊右衛門備感驚訝，像家康這等執掌天下大權的人物，雖說土佐位於偏遠落後地區，但也不至於不知道土佐一年的收成量。伊右衛門依據天正十六年長宗我部元親向秀吉提出的數據對家康說道：

「依照天正年間的調查所得，大概是二十萬二千六百餘石。」

家康一聽，神色頗為意外，說道：

「太閤去世後我曾應元親之邀前往伏見宅邸作客，元親的款待讓我感覺土佐是個物產豐盛之地，宴席的器具也是無比精美，顯示出有五十萬石的實力。雖然所處位置相對偏僻，距離也稍微遠了點，但畢竟有五十萬石的收成，因此才賞賜給對州大人。」

世人皆謂太閤殿下是演戲的高手，但從筆者引用的這則軼聞來看，家康的演戲才華完全不輸秀吉。家康怎麼可能不知道土佐一年的收成量？就算他本人不知道，關原之戰結束後決定將土佐一國封賞給伊右衛門時，總該問過包括本多佐渡守正信在內的智囊團：「土佐一國的年收成量是多少啊？」

不過，伊右衛門似乎沒有想得這麼深遠，他當下只是想到：

「原來在內府大人心目中，我立下的功勞值五十萬石！」

遂將土佐的偏遠落後拋在腦後，一股腦兒地對家康感恩戴德，回到土佐後將家康對他講的話轉述給家臣們，並說道：

「只要山內家在土佐的一天，決不允許土佐有違逆德川家的行為！」

伊右衛門返回土佐後，任命不久前才聘用的家臣百百越前守綱家為普請奉行，他原本是岐阜中納言織田秀信的家老，專長為指揮作戰與內政。由於織田秀信在關原之戰加入西軍，儘管身為信長的長孫，戰後毫無寬待地遭受改易、流放高野山的命運，百百綱家也落得蟄居京都的處分。伊右衛門徵得家康同意、返回土佐後命百百綱家尋找適合修建新城的地點。百百一眼相中當年因無法克服排水問題而被元親棄置的大高坂山下鏡川河口，認為此地北倚四國山脈、南面鏡川，坐擁海拔四十餘公尺的大高坂山，兩側皆為開闊的原野，是絕佳的風水寶地。

要築新城前先得解決鏡川的水患，這點也是百百綱家的專長，藉由築堤及改道百百有效改善鏡川的氾濫，大高坂山一帶成為土佐最適宜的居住地，伊右衛門遂將這一帶命名為「高知」。

新城從慶長六年八月開始修建，百百從出生地近江帶來擅長修建寺院、城郭石垣的石工集團「穴太眾」（位於現今滋賀縣大津市坂本穴太的石工集團，多次參與信長、秀吉的築城工事）負責新城的石垣部分，百百還負責設計新城的本丸、二丸、三丸等城郭的核心部分以及城下町的規劃，務必讓高知城成為四國第一名城。本丸及本丸和二丸石垣於慶長八年八月完工，該月廿一日伊右衛門住進高知城，至於全城完工則要等到慶長十六年，可惜的是，伊右衛門及百百綱家都沒能見到這一刻。

與修建高知城相比，一領具足的撲滅行動也正進行得如火如荼，儘管在浦戶一揆中一領具足受到長宗我部家臣的襲擊而受創，土佐的山區仍有大量的一領具足。伊右衛門自改封土佐以來苦於一領具足的消息已傳至京坂一帶，連家康都派人前來土佐關心：

「土佐還沒安定下來嗎？」

將家康賜予土佐的用意解讀為「在內府大人心目中，我立下的功勞值五十萬石」，決意為德川家肝腦塗地的伊右衛門，聽到「土佐還沒安定下來」這類關心的話，內心比誰都急躁，和家臣密商數天，首席家老深尾湯右衛門重良為伊右衛門提出一個肅清一領具足的計畫。

慶長六年三月一日，伊右衛門以土佐國主名義宣布在浦戶城下的種崎濱舉行相撲大賽，按比賽勝負進行排名，凡是對相撲有興趣、有信心者皆可報名參加，一時之間，土佐各地的一領具足蜂擁而至，可是說也奇怪，伊右衛門的家臣無一人參加。

當七十餘名一領具足等待伊右衛門前來讓比賽正式進行，而等得有點不耐煩之時，出現在這些人面前的卻是山內家的鐵砲隊。在鐵砲組頭的號令下，鐵砲隊紛紛朝向衣不蔽體的一領具足開槍，一時之間一領具足的胸部、腹部被射穿，鮮血源源不絕地流出，染紅了種崎濱沙灘上的白砂。殘存的幾名一領具足往海上逃去，然而種崎濱海口布滿數艘小船，埋伏在小船上的足輕挑起長槍刺向迎面逃來的一領具足，不一會兒皆倒在海上死去。

七十三名一領具足無一生還，盡遭梟首，首級被掛在事先已備好的梟首台上，連公告罪名的木牌都備妥了（罪名皆為「謀反」或「意圖謀反」），經此一役，一領具足的反抗終於被徹底鎮壓下來。

三、野中兼山的改革

土佐藩的藩政改革在第二代藩主山內忠義就已開始，比前述的薩摩、長州或是之後要提到的佐賀都來得早。初代藩主山內伊右衛門與見性院千代並未生下子嗣，伊右衛門也沒有其他側室，慶長八（一六〇三）年伊右衛門收同母弟中村藩主山內康豐長男國松為養子，前往關東先後拜謁家康及秀忠，接受秀忠賜予的偏諱改名忠義。慶長十年九月廿日，六十歲的伊右衛門於高知城病逝，年僅十四歲的忠義家督相續成為第二代藩主，因年幼之故由生父山內康豐受命輔佐。

就整個土佐藩的歷史來看，二代藩主忠義在位期間最久，超過半世紀。總括說來，忠義算得上是個聰明有為的藩主，同時也是個興趣廣泛、喜好遊樂的藩主。特別在寛永二

（一六二五）年八月生父康豐去世後更是不受節制，因此財力不如薩摩、長州的土佐，在忠義的治世時便得靠著實施藩政改革來挽救搖搖欲墜的藩政。

野中兼山本名良繼，通稱傳右衛門。祖父野中良平追隨伊右衛門，娶其妹合姬為正室，生下兼山之父良明。野中良平在伊右衛門尚未發跡前病逝，之後合姬改嫁良平之弟，生下一子名為直繼，是傳右衛門生父良明的異父弟。野中良明．直繼兄弟跟隨伊右衛門前往土佐，伊右衛門在巡視修建中的高知城時曾因懼怕一領具足的突襲，而與五名家臣做同樣的打扮（亦即五名家臣為伊右衛門的影武者），其中一人即是後來傳右衛門的養父野中直繼。

寬永八（一六三一）年傳右衛門與養父一同被任命為奉行，參與藩政。五年後養父去世，藩主將改革藩政的任務委託傳右衛門進行。傳右衛門從開發新田、增產稻米、有效活用森林資源、振興產業、實施藩專賣制等方面著手，其中最為特殊的當數廢除取消一領具足武士身分的規定。

在前節筆者提到為了有效打擊一領具足，伊右衛門曾取消一領具足的武士身分，然而成效並不彰，最終導致種崎濱的慘劇。傳右衛門為了消彌一領具足的仇恨——更主要的原因是為了維持藩內的治安，讓一領具足去開發土佐偏遠地區的新田，再將開發出來的新田以藩的名義分給一領具足，同時讓他們取得鄉士的身分，幕末時期土佐勤王黨的成員其先祖多半在此時取得鄉士身分。

部分鄉士雖參與新田開發，最終卻無法完成目標、繳不出年貢，為了生計而不得不出售鄉士身分的這群人稱為「地下浪人」，如在明治中期成立日本首屈一指財團的岩崎彌太郎，在其曾祖父那一代便已拋售鄉士身分。而接受地下浪人拋售的鄉士身分，成為鄉士者則稱為「讓受鄉士」。

明曆二（一六五六）年七月，在位超過五十年的二代藩主忠義因中風隱居，傳位給已經四十八歲的長男忠豐，忠義交代忠豐要繼續任用傳右衛門進行改革。忠豐雖然留任傳右衛門並繼續委以改革之任，然而歷經二十餘年的改革，傳右衛門已變質為壟斷藩政的獨裁者，傳右衛門的改革雖然頗具成效，但終因過於獨裁而樹敵過多，而且敵人又多為可以影響藩主的親族及重臣。寬文三（一六六三）年忠豐接受親族及重臣的彈劾，罷免傳右衛門。不過，厭惡傳右衛門的親族及重臣並不因為他的下野而罷休，執意捉拿傳右衛門下獄，結果傳右衛門於該年十二月病逝（或是自裁、或被謀殺），享年四十九歲。

比較調所笑左衛門、村田四郎左衛門以及野中傳右衛門三人的改革不難發現，三人的身分雖不盡相同，但都是在藩的財政出現嚴重危機的情形下受命進行財政改革。一段時間後三人大致上都完成當初藩主賦予他們的使命，亦即還清債務。可是在受命進行財政改革的期間，由於肩負重責，他們都是以大權在握的方式進行改革，讓藩主及其他家老、重臣幾乎毫無置喙的餘地。結果固然成功地完成了財政改革，他們卻也在財政改革期間成為集家老、重臣甚至藩主厭惡於一身的對象，最終他們不僅無法享受到財政改革成功的果實，反而要接受去官、甚至結束性命的下場。

傳右衛門改革的成功，為土佐藩帶來財富，不過第四代藩主豐昌在位後開始揮霍，在位超過三十年的豐昌幾乎抵銷掉傳右衛門改革的成果。第五代藩主豐房提倡儉約，累積了一點財富，可惜豐房在位僅短短六年病逝。六代藩主豐隆乃豐房同母弟，歷代土佐藩主中，豐隆的評價大概是最差的，不少書籍將他評為「土佐數一數二的昏君」（土佐藩随一の暗君）。

四、「鯨海醉侯」山內容堂

十九世紀初土佐藩受到天保大饑饉[20]的重創，第十二代藩主山內豐資為了重建殘破的藩政，向全藩發出儉約令、進行藩政改革。經過兩年，山內豐資的改革毫無起色，引起廣大的鄉士階級及地方庄屋[21]的不滿，山內豐資不得不於天保十四（一八四三）年三月七日讓位給長男豐熙，以平息眾怨。而豐資的讓位可能與約略同時期薩摩藩主島津齊興的讓位如出一轍，背後都有來自幕府的壓力。

豐熙在位五年因腳氣病去世，由於豐熙的長男也已夭折，因此由其同母弟，也就是豐資的次男豐惇繼位，是為第十四代藩主。但是山內豐惇與前文介紹過的毛利齊廣一樣，在位不到二十日死去，得年廿五歲，且未生下繼承人。如此一來，下一任土佐藩主照理應由山內豐資的六男鹿次郎繼任，不過鹿次郎只有三歲，已經隱居的豐資不願擔任輔佐的角色，

20 天保大饑饉：發生於一八三三～三九年間的飢荒，範圍之廣從東北經北陸到山陰日本海沿海，以及畿內到四國都是災區。

21 庄屋：江戸時代負責徵收農村年貢的人，類似現代的村長，關東稱為名主，關西稱為庄屋。

在鹿次郎成人前勢必得由分家出任過渡時期的藩主。

山內家在伊右衛門時分封弟弟康豐為中村藩作為支藩，康豐的後裔稱為中村山內家，中村山內家人丁單薄，在康豐次男正豐死後斷絕。土佐藩二代藩主忠義以其次男忠直繼承中村山內家，歷經三代又告斷絕。

九代藩主山內豐雍將山內豐產(中村山內家後嗣)扶正為一萬三千石的支藩藩主，是為土佐新田藩，並以弟弟豐泰作為豐產養子成為第二代土佐新田藩主，這一家被稱為麻布山內家。

山內豐雍同時以次男(實際上應為三男)豐敬作為山內家的新分家，是為西邸山內家。到第十代藩主豐策仿效八代將軍德川吉宗，封三男豐道為東邸山內家、四男豐著為南邸山內家、六男豐棨為追手山內家。而鹿次郎成人前的過渡藩主將於新設的四家分家中產生。

最後隱居的豐資所看上的是南邸山內家山內豐著的長男山內輝衛，在輩分上是豐資的侄子、已故的豐熙·豐惇的堂弟、年幼的鹿次郎的堂兄。嘉永元(一八四八)年十二月廿七日，廿二歲的輝衛正式成為土佐藩第十五代藩主，同時改名豐信，他即是幕末時期被稱為四賢侯之一的山內容堂。

容堂一開始即知自己只是鹿次郎成年前的過渡藩主，而且上還有隱居的藩主——同時也是自己的伯父——豐資，卡在兩人之間的自己絕無實權，因此他索性做個沉溺在詩、酒、女人之間的藩主，並自號「鯨海醉侯」。

不過容堂倒也不是毫無作為，他從上士當中提拔吉田東洋和小南五郎右衛門，記取野中傳右衛門改革藩政到最後卻淪為獨裁政治的教訓，由兩人一起負責藩政改革。分家出身、成為過渡時期藩主的容堂，照理而言應該要比血統純正的藩主更能打破階級、門第的藩籬，從出身低下的寒門中挑選人才才是，而武市半平太或許正是因為如此才會對容堂寄予厚望，然而容堂的門第之見根深蒂固，似乎更勝歷代藩主。雖然容堂有四賢侯的賢名，然而鄉士出身的半平太以及他舉藩勤王的政見都無法為容堂所用，甚至連後來名滿天下的坂本龍馬提出「大政奉還論」時，都還要假土佐藩參政後藤象二郎之名才能上呈給容堂。為了向幕府及山內豐資示忠，容堂以極其殘忍的手段鎮壓所有投身舉藩勤王事業的鄉士，使得維新回天後土佐鄉士階層的人才僅剩下河野萬壽彌、中島作太郎、田中顯助、土方楠左衛門及岩崎彌太郎等數人。

有關容堂在位時土佐藩的動態，筆者將於第二部再做詳盡的介紹。

土佐藩歷代藩主

代數	藩主	官位	出自
初代	山內一豐	從四位下土佐守	山內盛豐次男
二代	山內忠義	從四位下土佐守	山內一豐之弟山內康豐長男
三代	山內忠豐	從四位下對馬守	山內忠義長男
四代	山內豐昌	從四位下土佐守	山內忠豐長男
五代	山內豐房	從四位下土佐守	山內康豐四男山內一唯之孫
六代	山內豐隆	從四位下土佐守	山內一唯次男山內一俊次男
七代	山內豐常	從四位下土佐守	山內豐隆次男
八代	山內豐敷	從四位下土佐守	山內康豐三男山內重昌之後
九代	山內豐雍	從四位下土佐守	山內豐敷四男
十代	山內豐策	從四位下土佐守	山內豐雍長男
十一代	山內豐興	從五位下土佐守	山內豐策長男
十二代	山內豐資	從四位下土佐守	山內豐策次男
十三代	山內豐熙	從四位下土佐守	山內豐資長男
十四代	山內豐惇	無	山內豐資次男
十五代	山內豐信	從四位下土佐守	山內豐策三男山內豐著長男
十六代	山內豐範	從四位下土佐守	山內豐資六男

山內家系圖

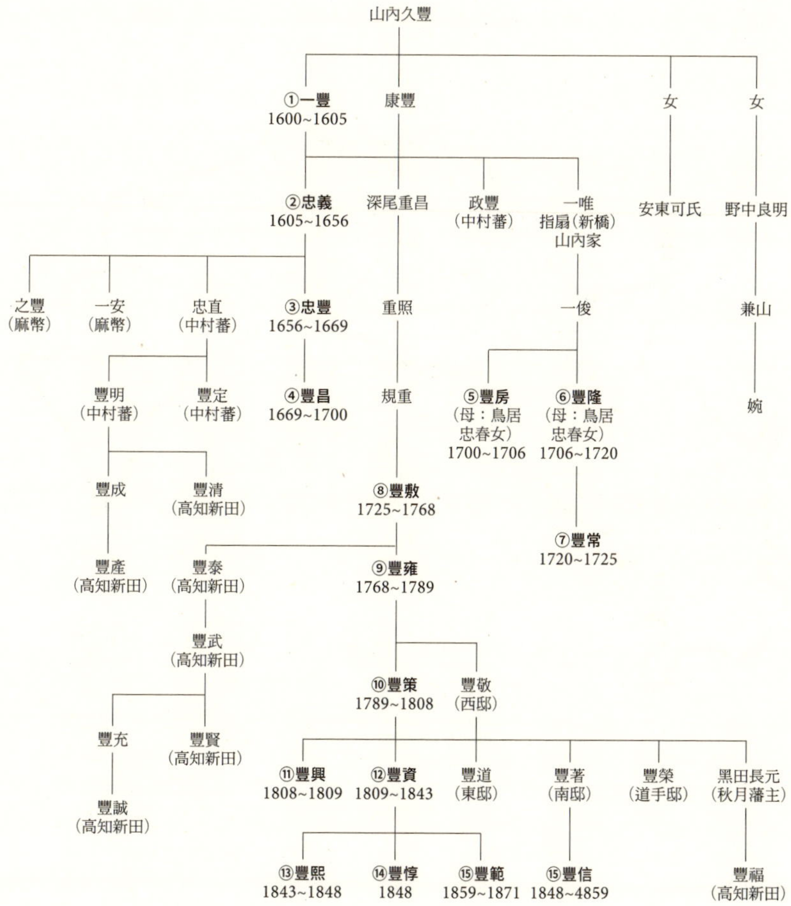

第三章 外様部分

```
                                    山內久豐
                                       │
         ┌─────────────────┬───────────┴───┬─────────┬─────────┐
       ①一豐              康豐              女         女
      1600~1605             │
                            │
              ┌─────────┬───┴─────┬─────────┐
            ②忠義    深尾重昌   政豐      一唯          安東可氏   野中良明
          1605~1656              (中村番)   指扇(新橋)       │          │
                                            山內家         兼山         婉
                                              │
                                            一俊
                                              │
  ┌─────┬─────┬─────┬─────────┐           ┌──┴──┐
之豐   一安   忠直   ③忠豐    重照        ⑤豐房  ⑥豐隆
(麻幣)(麻幣)(中村番)1656~1669              (母：鳥居 (母：鳥居
                   │                       忠春女) 忠春女)
                   │                      1700~1706 1706~1720
  ┌────┬────┐   ④豐昌    規重                      │
豐明  豐定   1669~1700                           ⑦豐常
(中村番)(中村番)                                 1720~1725
  │
  ┌────┬────┐              ⑧豐敷
豐成  豐清                  1725~1768
      (高知新田)                │
            ┌────┐          ⑨豐雍
          豐產  豐泰         1768~1789
        (高知新田)(高知新田)      │
                 │
                豐武
              (高知新田)
                 │        ⑩豐策  豐敬
          ┌────┬────┐    1789~1808 (西邸)
         豐充  豐賢           │
              (高知新田)
                 │
                豐誠
              (高知新田)

⑪豐興    ⑫豐資    豐道    豐著    豐榮    黑田長元
1808~1809 1809~1843 (東邸)  (南邸)  (道手邸) (秋月藩主)

⑬豐熙    ⑭豐惇    ⑮豐範    ⑮豐信              豐福
1843~1848  1848    1859~1871 1848~4859         (高知新田)
```

第三章　外樣部分

土佐藩領

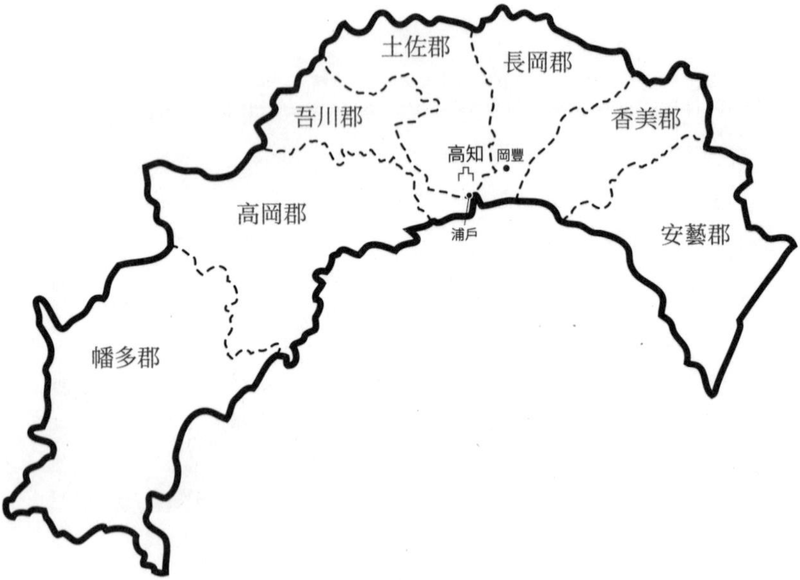

土佐郡
長岡郡
吾川郡
香美郡
高知
岡豊
高岡郡
浦戸
安藝郡
幡多郡

佐賀藩

種類：外樣
總石高：三十五萬七千石
藩廳所在地：佐賀城
別稱：肥前藩、鍋島藩
極位極官：
從四位下左近衛權少將
在江戶城的伺候席：大廣間

大名格式：準國持大名
支藩：
蓮池藩（五萬二千石）、小城藩（七萬三千石）、鹿島藩（二萬石）
著名藩主：
鍋島勝茂、鍋島光茂、鍋島齊正（閑叟）

一、龍造寺氏到鍋島氏的交替

在此事先說明，筆者在本書除這一部分外，基本上都不會提到佐賀藩，並不是佐賀藩不重要，而是佐賀藩在幕末時期對於攘夷・開國或佐幕・倒幕以及公武合體等議題均不感興趣，因此在文久・元治・慶應年間（一八六一～六七）佐賀藩缺席、失去以雄藩身分進入京都政局的時機。直到薩長官軍在鳥羽・伏見之戰取勝，挾戰勝之威東下江戶前，佐賀藩才打破向來沉默的姿態加入官軍。

十六世紀永祿年間(一五五八～七〇)，鎌倉時代以來的名門少貳氏在大內氏及大友氏的侵略下奄奄一息，原本臣服的肥前國人眾龍造寺氏脫離少貳氏自立，龍造寺當主龍造寺隆信以出生地水江城(佐賀縣佐賀市中之館町)為據點，致力於肥前的統一。之後數年龍造寺隆信轉戰肥前、筑後，並於元龜元(一五七〇)年八月今山合戰(佐賀縣佐賀市大和町)一役以寡擊眾，擊退全盛期的大友義鎮。鎌倉時代以來即是豐後、筑後兩國守護的大友氏，對新興的龍造寺氏而言是強敵中的強敵，擊敗當時九州勢力最強的大友氏使得肥前、筑後各地的大小豪族紛紛獻上人質、前來歸附。

之後龍造寺隆信自稱「五州二島的太守」(筑前、筑後、豐前、肥前、肥後五國及壹岐、對馬二島)，與大友氏、島津氏並列九州三雄，不過龍造寺隆信實際上的支配範圍只有島原、平戶以外的肥前和筑後以及部分的筑前和豐前。天正十二(一五八四)年三月，臣服龍造寺氏的肥前豪族有馬晴信背叛，投靠正在進攻深江城(長崎縣南島原市深江町)的島津氏。此舉惱怒龍造寺隆信，他決定傾全領地之力征討降而復叛的有馬晴信，於是在三月廿四日掀起改變九州勢力版圖的沖田畷之戰。龍造寺隆信以二萬五千優勢兵力在沖田畷(長崎縣島原市城內一丁目)迎戰島津・有馬不到一萬的兵力。然而龍造寺隆信因一時大意而戰死，連有

「龍造寺四天王」之稱的百武志摩守賢兼、成松遠江守信勝、江里口藤七兵衛信常、圓城寺美濃守信胤以及其他多位將領相繼戰死，龍造寺隆信的家老鍋島信生（後改名直茂）趕緊重整敗軍撤回佐賀。

沖田畷之戰後由鍋島直茂主政元氣大傷的主家，隆信的長男龍造寺政家不管在文政或武功方面都不如亡父，因此鍋島直茂做出屈從於島津氏的抉擇，之後島津氏與大友氏的作戰，龍造寺氏都受到動員出兵的命令。屈從島津氏的同時，鍋島直茂不斷寫信給秀吉，希望秀吉儘早出兵九州討伐島津氏，龍造寺氏願意作為秀吉軍的先鋒。日後秀吉結束九州征討後，讓龍造寺政家獲得肥前國七郡三十二萬石安堵，應與此時直茂的表現有關。

豐臣政權建立前後有所謂的「天下三陪臣[22]」，即上杉景勝的家臣直江兼續、毛利輝元的家臣小早川隆景、龍造寺政家的家臣鍋島直茂（第三人或為堀秀政的家臣堀直政）。據說秀吉對直江兼續的評價是智慧，對小早川隆景的評價是勇氣，對鍋島直茂則給予大氣不足的評價。感覺上秀吉對直茂的評價似乎不如兼續和隆景，但實際上秀吉對三陪臣的評價和

22 陪臣：家臣的家臣，廣義說來所有大名皆為將軍的家臣，大名的家臣即為陪臣。

待遇都在他們的主君之上，尤以鍋島直茂和龍造寺政家的對比最為明顯。天正十四年六月，直江兼續陪同上杉景勝上洛謁見秀吉，秀吉奏請朝廷敘兼續為從五位下，敘上杉景勝為從四位下左近衛權少將。天正十六年八月兩人再次上洛，秀吉再次奏請朝廷敘兼續為山城守（此前兼續已自稱山城守）並授予豐臣之姓，敘上杉景勝為從三位參議，也授予豐臣之姓；天正十六年七月小早川隆景陪同毛利輝元上洛謁見秀吉，秀吉奏請朝廷敘隆景為從五位下侍從，敘毛利輝元為從四位下參議，兩人同樣被授予豐臣之姓。

而秀吉對待龍造寺政家和鍋島直茂有別於前述兩對君臣。前文提過秀吉結束九州征討後讓龍造寺政家獲得肥前國七郡三十二萬石安堵，並在天正十六年授予龍造寺政家豐臣之姓。只看這段敘述的話，秀吉對龍造寺政家的待遇與上杉景勝、毛利輝元並無二致，然而秀吉翌年也授予鍋島直茂及其嫡男勝茂豐臣之姓，天正十八年三月秀吉動員天下大名的兵力進攻小田原時命龍造寺政家隱居，傳位給長男長法師丸（日後的高房），長法師丸年僅五歲無法親自處理政務，於是鍋島直茂被任命為輔佐役，成為佐賀三十二萬石領地實際上的主人。

關原之戰鍋島直茂的長男勝茂加入西軍，直茂自己則投效東軍，在開戰之前大肆收購尾張一帶的穀物獻給家康，讓東軍免於糧食補給上的匱乏，同時在開戰前夕勸說勝茂脫離戰場。關原之戰結束後直茂還向家康請纓擔任進攻島津的先鋒，雖然最終家康並未率軍前往九州征討島津，然而已充分感受到直茂父子的忠心，將肥前一國中的三根、佐賀、神埼、養父、小城、杵島、藤津、高來八郡以及松浦、彼杵兩郡的一部分賜給直茂，石高總計約有五十萬石。

慶長十二（一六〇七）年三月，龍造寺高房在江戶佐賀藩上屋敷（東京都千代田區日比谷公園日比谷御門）殺害正室（鍋島直茂養女）後自盡。通說認為龍造寺高房殺害正室的原因並非厭惡她本人，而是厭惡正室的身分，高房獲救後送回佐賀，同年九月死於佐賀，得年廿二歲。不到一個月後，隱居的龍造寺政家病逝，享年五十二歲。

龍造寺隆信的嫡系在高房、政家相繼去世後斷絕，幕府詢問龍造寺氏重臣龍造寺長信（隆信三弟）、龍造寺家晴（龍造寺鑑兼長男，隆信堂弟）、後藤家信（隆信四男）、龍造寺信周（隆信二弟）有無理想的繼承人選？被徵詢的四人已知如果不推出人選的話，佐賀藩領地有可能被幕府收回，如此一來家臣們將淪為浪人。因此他們事先套好、若被問及時一致推舉直茂的嫡男勝茂，於是勝茂被幕府立為佐賀藩藩主。

勝茂將龍造寺氏四家重臣納為家臣團（龍造寺長信系的多久家、龍造寺家晴系的諫早家、後藤家信系的武雄家、龍造寺信周系的須古家），稱為「親類同格」，在佐賀藩境內有各自的領地。「親類同格」之上為「親類」，計有四家，直茂的兄長信房系的神代家（也稱為川久保家）、龍造寺政家次男安良子孫的村田家，這兩家在勝茂在位初年成立。至於其餘兩家，勝茂晚年封八男直弘為白石鍋島家，二代藩主光茂在位再封養子茂英為村田鍋島家。

慶長十四年，勝茂封同母弟忠茂於肥前國藤津郡，石高二萬石，是為支藩鹿島藩。寬永十九（一六四二）年，步入老年的勝茂接連封長男元茂為小城、五男直澄為蓮池支藩藩主，石高分別為七萬三千石和五萬二千石，連同最早成立的鹿島藩是為佐賀藩的三支藩。

佐賀藩自藩主以下有鹿島、小城、蓮池三個支藩，扣除三支藩的石高後，佐賀藩剩下三十五萬七千石，在整個幕府時代排行第十。三支藩底下為四親類，與三支藩皆為鍋島氏一門眾（村田家第三代收白石鍋島家為養子）。四親類底下為四親類同格，雖是龍造寺氏出身，在傳承數代後已徹底成為鍋島氏家臣。直茂、勝茂兩代在位期間建構三支藩、四親類、四親類同格、七家老（皆為鍋島氏一門眾）的組織支持主家，使主家不至於像龍造寺氏般輕易瓦解（上述模式在二代藩主光茂在位期間才建立）。

二、《葉隱聞書》一書的時代

江戶時代闡揚武士道理念的書籍主要有山本常朝的《葉隱聞書》、山鹿素行的《武教全書》及大道寺友山的《武道初心集》，在整個江戶時代論知名度與影響力，《葉隱聞書》與《武教全書》大致上不相上下，均遠勝《武道初心集》；但是若論及在現代的知名度與影響力，《葉隱聞書》應該已將其他兩本遠拋腦後。

山本常朝幼年時被選為二代藩主光茂的小姓，因而有從近距離觀察光茂的機會。不過由於光茂是山本常朝的主君，部分內容難免有溢美的成分，然而撇開這部分算是一部可讀性極高的著作，部分內容雖不適用於今日，卻有助於讀者理解一個武士的訓練過程。

《葉隱聞書》一書於二代藩主鍋島光茂在元祿十三（一七〇〇）年五月十六日去世後，伴隨主君長達三十餘年的山本常朝有意切腹殉死（直茂去世時有十二名家臣殉死，勝茂去世時亦有廿六人殉死），但幕府當時已嚴禁殉死，因此山本常朝的申請不被接受，只好改變心意，前往佐賀藩主菩提寺高傳寺（佐賀縣佐賀市本庄町）剃髮出家，每日為亡故的主君祈求冥福。寶永七（一七一〇）年，三十三歲的佐賀藩士田代陣基因仰慕山本常朝的為人特地前來，結果開啟了由山本常朝口述、田代陣基記錄的撰寫計畫。歷時七年，著作終於在享保元(一七一六)年完成，此即《葉隱聞書》，全書共十一卷。

《葉隱聞書》中多次提及的主公鍋島光茂是鍋島勝茂四男忠直的長男，佐賀藩在位時間僅次於勝茂。忠直的生母是德川家康的養女，因此一出生即被當成嫡男養育，並蒙將軍秀忠賜予偏諱。可惜廿三歲時罹患疱瘡早逝，勝茂改立忠直年僅四歲的兒子翁助為繼承人，翁助元服後改名光茂。

《葉隱聞書》前二卷為論武士心性，介紹武士的日常起居；第三卷為佐賀藩祖鍋島直茂公的生平軼聞，山本常朝出生時鍋島直茂已死去多時，因此直茂的生平軼聞多半是聽別人轉述或是從藩史的記載轉錄；第四卷為初代藩主鍋島勝茂的生平軼聞，與第三卷一樣是間接聽來或轉錄的資料；第五卷介紹二代藩主光茂及三代藩主綱茂的生平，山本常朝的一生介於這兩位藩主在位期間，山本常朝本人亦曾出仕過光茂，因此這卷記載的內容有不少山本常朝親歷其中；第六卷介紹佐賀自古以來的事蹟；第七到第九卷則記載當代佐賀藩士言行；第十卷為當代他藩藩士言行；最後一卷為補遺。

從以上各卷簡介可看出《葉隱聞書》幾乎就是一部佐賀藩從藩主到一般藩士的歷史，問世後成為佐賀藩士必讀之書，有「鍋島論語」之稱。

三、肩負戍守長崎之責

江戶時代大部分時間幕府採取鎖國政策，在鎖國體制下只有長崎可以與荷蘭及清國通商。基於長崎如此重要的地位，幕府將長崎劃入天領[23]，以旗本擔任長崎奉行。但由於長崎距離江戶過於遙遠，幕府要長年派兵駐守長崎在實行上有困難，因此幕府下令由距離長崎最近的兩個大藩——佐賀和福岡，以一年的時間輪替駐守長崎（稱為「長崎御番」）。也因為佐賀、福岡二藩負責派兵駐守長崎，因此二藩藩主參勤交代、滯留江戶的時間縮短成百日，被稱為「百日大名」。

文化五（一八〇八）年，長崎港發生英國巡航艦費頓號（Phaeton）入侵事件，佐賀藩在

23　天領：幕府的直轄地，也稱為公儀御料、幕領，幕府於天領設有御料所、代官所。

這一事件裡成為受害者。

法國大革命促成拿破崙的崛起，他率領法國陸軍於歐陸各處征戰，於一八〇六年封弟弟路易・波拿巴（Louis Napoleon Bonaparte）為荷蘭國王，這一舉動使得原本已加入反法同盟的英國也將荷蘭列為敵人，不僅如此，戰場還隨之延伸到亞洲。一八〇八年八月十五日（格列高里曆十月四日），英國海軍巡航艦費頓號以緝捕荷蘭船隻為口實，掛上荷蘭國旗進入長崎港。位在出島的荷蘭商館派出兩名館員依照慣例前往長崎奉行所（分為東西兩役所，東役所是現今的長崎歷史文化博物館，西役所為現今長崎縣廳），請求派出通譯搭乘小船前往迎接。

小船一接近掛上荷蘭國旗的費頓號立刻遭到挾持、成為人質，小船也遭到扣押。費頓號降下荷蘭國旗，改掛英國國旗，向長崎奉行所提出在長崎港口內搜索荷蘭船隻的要求。費頓號的作為明顯觸法，然而當時的長崎奉行松平圖書頭康英主張先不究責，要求費頓號先行釋放挾持的人質，但為費頓號拒絕。

為打破僵局，松平奉行下令警備長崎的福岡和佐賀二藩襲擊費頓號，以救出人質，該年輪到佐賀藩駐守長崎，因此兵力以佐賀藩為主。然而因為長年承平，再加上財政惡化，使得佐賀藩逐年減少駐守長崎的兵力，松平奉行這才發現佐賀藩的駐軍只剩規定的十分之一左右，根本無法襲擊費頓號，松平奉行於是改為要求熊本、薩摩、久留米等藩出兵協助。

八月十六日費頓號釋出善意，先行釋放一名商館館員，但附帶了提供薪水及食物的要求，若不從，費頓號將縱火燒毀長崎港內所有船隻。松平奉行不得不接受要求，不過僅提供少許的薪水、食物換取時間，等待諸藩藩兵的到來。十七日清晨，距離長崎港最近的大村藩（長崎縣大村市）率領數百名藩兵抵達。費頓號艦長判斷形勢對己不利，料想長崎奉行一定會恃眾強行上船，於是釋放另一名人質，然後快速拔錨離開長崎港。

費頓號事件最後雖然圓滿解決，日本和荷蘭方面並無太大的實質損失，然而還是凸顯了幾個核心的問題。首先是船隻檢查不嚴格，因此掛上荷蘭國旗的費頓號才能不費吹灰之力進入長崎港；其次是與福岡藩輪替駐守長崎的佐賀藩因財政問題逐步減少駐守兵力，導致無法支援長崎奉行的調度。松平康英在費頓號離去之後寫了長長的書信向幕府交代事件經過，隨即以有辱國威為由切腹。佐賀藩為了避免藩主被追究責任，數名家老亦扛起責任切腹。

十一月，幕府對鍋島齊直下達閉門百日的懲處，之後佐賀藩痛定思痛，以費頓號事件為鑑時時戒慎。不過藩主鍋島齊直的能力有限，費頓號事件結束後他繼續當了二十餘年的藩主，這段期間佐賀藩幾近毫無作為。

讓佐賀藩實力扶搖直上的是齊直之後的藩主齊正，在他一代的勵精圖治下，佐賀藩不僅戰力精強，還為維新回天後的新政府培育了不少實力派的技術官僚。

四、諱莫高深的實力

佐賀藩第十代藩主鍋島齊正生於文化十一(一八一四)年十二月七日，是鍋島齊直的十七男，幼名貞丸。文政八(一八二五)年十一月娶德川家齊十八女盛姬為正室，文政十年十二月元服，接受家齊的偏諱改名齊正，叙從四位下信濃守。天保元(一八三〇)年二月七日，齊直隱居，齊正家督相續，是為第十代佐賀藩主。不過齊直仍實權在握，直到天保十年一月廿八日齊直病逝，齊正方始掌權。

襲封的齊正矢志扭轉佐賀藩在費頓號事件的荒唐形象，抱持將佐賀藩變為舉藩西式武裝化的夢想，齊正親自學習蘭學——特別是蘭學中的兵學。齊正對於開國後國內政局的轉變毫無興趣，只是一個勁地充實佐賀藩的實力，對當時的勤王派或佐幕派而言，齊正是個異類的存在，稱他為：「肥前的妖怪」（肥前の妖怪）或是「洞峠的順慶」（洞ヶ峠の順慶，騎牆觀望之意）。

所謂「幕末四賢侯」指的是島津齊彬、松平春嶽、伊達宗城、山內容堂四人，當中齊彬、春嶽、宗城三人當之無愧，至於容堂，筆者在前文土佐藩中已約略介紹，第二部中亦有數章提及。容堂與其說是賢侯，不如說是文人，他強烈的主觀意識並不適合擔任帶領全藩西化的藩主，相較之下筆者認為個性一絲不苟、有潔癖傾向的齊正對西學接受度較高，更有資格與齊彬、春嶽、宗城三人並稱四賢侯。

一般提到幕末雄藩的軍事力，不少人會優先想到島津齊彬的集成館事業，不過鍋島齊正主政下的佐賀藩一點也不遜於薩摩藩，而且還很有可能凌駕於薩摩之上。在黑船到來之前，齊正已在築地（佐賀縣佐賀市長瀨町）建造反射爐，背著幕府偷偷發展。黑船到來後，阿部正弘老中首座解除禁止建造五百石以上船隻的禁令，接著幕府在長崎成立海軍傳習所，齊正立即從藩內選出中牟田倉之助（箱館戰爭中被任命為「朝陽丸」艦長，明治時代曾任海軍兵學寮校長、海軍軍令部部長）、真木長義、佐野常民等人前往學習。安政五（一八五八）年齊正在佐賀藩內成立三重津海軍所（佐賀縣佐賀市川副町，二〇一五年六到七月間以「明治日本的產業革命遺產：製鐵・製鋼、造船、石炭產業」登錄為世界文化遺產），除了與海軍傳習所同樣學習航海術、物理學及化學等基本學科外，三重津海軍所還多了船隻修理、造船等實務課程。

在如此不懈的努力下，佐賀藩終於在慶應元（一八六五）年自行製造出蒸汽船，翌年自行製造出當時世界最先進的武器阿姆斯壯砲（Armstrong Gun），對此齊正自豪的說道：

「土耳其以東能製造洋式兵器唯有我佐賀藩。」

不僅如此，阿姆斯壯砲還能量產，用以裝備佐賀藩軍，使佐賀藩戰力連升好幾個等級。在之後的戊辰戰爭中，裝備阿姆斯壯砲的佐賀藩軍所向披靡、無人能敵。

文久元（一八六一）年十一月廿日齊正隱居，以閑叟為號，由長男茂實家督相續。齊正雖是隱居之身，仍有足以左右藩政的實力，由於齊正對於勤王、佐幕不感興趣，因此從公武合體起一直對京都政局採取觀望的態度。就連鳥羽・伏見之戰齊正也認為不過是兩派之間的內戰而下令禁止參與，鳥羽・伏見之戰最後由官軍獲勝，即將兵分三路東下江戶，此時齊正才趕緊派出使者前往京都要求加入官軍。儘管是錦上添花之舉，然而薩、長深知佐賀的實力而竭誠歡迎加入，佐賀因為這一刻的決定躋身倒幕四大雄藩之列。齊正栽培的江藤新平（維新回天後擔任司法卿、參議，跟隨西鄉辭職後發起佐賀之亂遭到斬首）、大木喬任（維新回天後擔任文部卿、參議）、大隈重信（維新回後擔任大藏卿、參議、外務大臣、首相，創辦早稻田大學）、佐野常民（維新回天後擔任大藏卿、元老院議長，創辦日本紅十字會）、副島種臣（維新回天後曾任外務卿、參議，台灣出兵問題時曾以特命全權公使兼外務大臣的身分前往北京處理交涉）先後進入新政府。齊正本人也於慶應四（一八六八）年被新政府任命為三職之中的議定兼外國事務局輔（之後轉任制度事務局輔），約略此時齊正與其長男茂實分別改名為直正、直大。

明治二（一八六九）年六月直正轉任蝦夷開拓督務，後來成為首任蝦夷地開拓使長官，不過直正始終沒有前往蝦夷地赴任。八月蝦夷地改名北海道，直正也轉任大納言，明治四年一月十八日病逝於江戶上屋敷藩邸，享年五十八歲，三日後藩士古川與一（號松根）殉死。

佐賀藩歷代藩主

代數	藩主	官位	出自
初代	鍋島勝茂	從四位下侍從	鍋島直茂長男
二代	鍋島光茂	從四位下侍從	鍋島勝茂四男鍋島忠直長男
三代	鍋島綱茂	從四位下侍從	鍋島光茂長男
四代	鍋島吉茂	從四位下侍從	鍋島光茂次男
五代	鍋島宗茂	從四位下侍從	鍋島光茂十五男
六代	鍋島宗教	從四位下侍從	鍋島宗茂長男
七代	鍋島重茂	從四位下侍從	鍋島宗茂九男
八代	鍋島治茂	從四位下左近衛權少將　鍋島宗茂十男	
九代	鍋島齊直	從四位下侍從	鍋島治茂長男
十代	鍋島齊正	從四位下左近衛權少將　鍋島齊直十七男	
十一代	鍋島茂實	從四位下侍從	鍋島齊正長男

鍋島家系圖

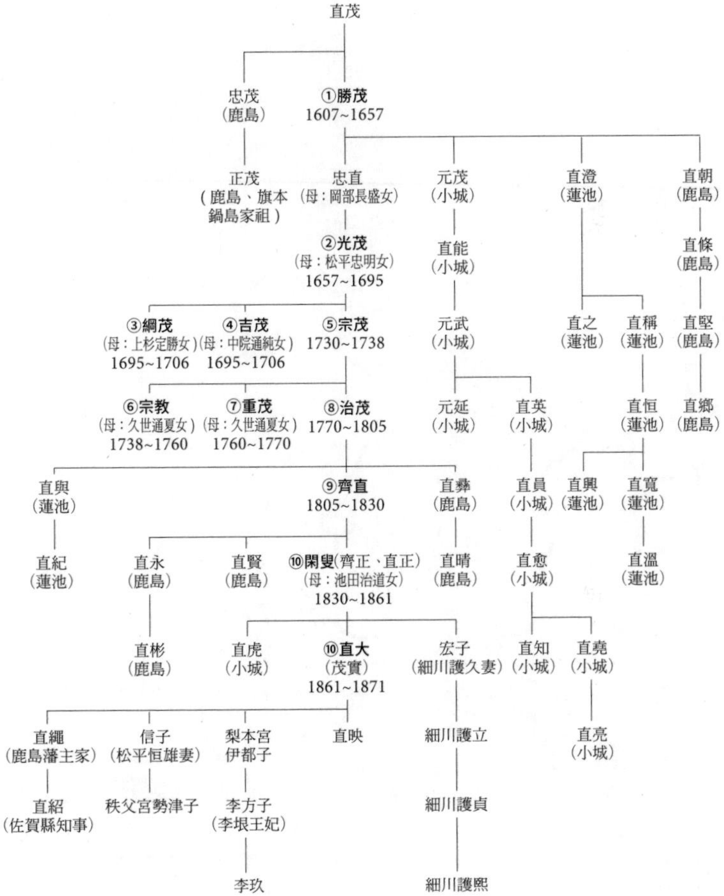
直茂
忠茂 (鹿島)
①勝茂 1607~1657
正茂 (鹿島、旗本鍋島家祖)
忠直 (母：岡部長盛女)
元茂 (小城)
直澄 (蓮池)
直朝 (鹿島)
②光茂 (母：松平忠明女) 1657~1695
直能 (小城)
直條 (鹿島)
③綱茂 (母：上杉定勝女) 1695~1706
④吉茂 (母：中院通純女) 1695~1706
⑤宗茂 1730~1738
元武 (小城)
直之 (蓮池)
直稱 (蓮池)
直堅 (鹿島)
⑥宗教 (母：久世通夏女) 1738~1760
⑦重茂 (母：久世通夏女) 1760~1770
⑧治茂 1770~1805
元延 (小城)
直英 (小城)
直恒 (蓮池)
直鄉 (鹿島)
直與 (蓮池)
⑨齊直 1805~1830
直彝 (鹿島)
直員 (小城)
直興 (蓮池)
直寬 (蓮池)
直紀 (蓮池)
直永 (鹿島)
直賢 (鹿島)
⑩閑叟(齊正、直正) (母：池田治道女) 1830~1861
直晴 (鹿島)
直愈 (小城)
直溫 (蓮池)
直彬 (鹿島)
直虎 (小城)
⑩直大 (茂實) 1861~1871
宏子 (細川護久妻)
直知 (小城)
直堯 (小城)
直縄 (鹿島藩主家)
信子 (松平恒雄妻)
梨本宮伊都子
直映
細川護立
直亮 (小城)
直紹 (佐賀縣知事)
秩父宮勢津子
李方子 (李垠王妃)
細川護貞
李玖
細川護熙

佐賀藩領

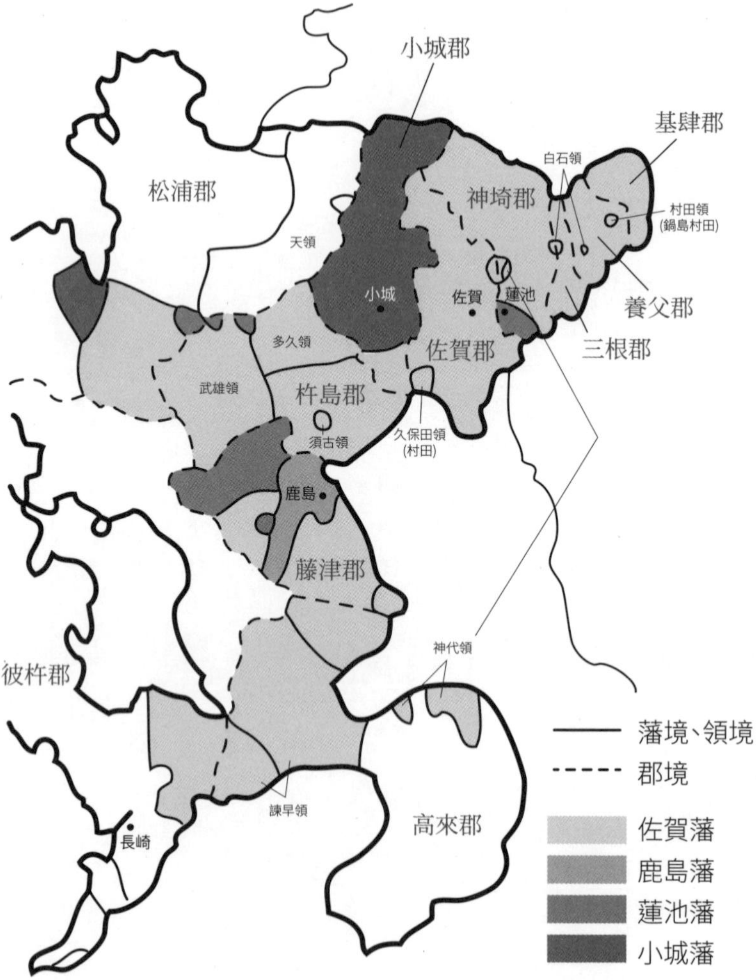
小城郡
基肆郡
白石領
松浦郡
神埼郡
村田領
(鍋島村田)
天領
小城
佐賀
蓮池
養父郡
三根郡
多久領
佐賀郡
武雄領
杵島郡
須古領
久保田領
(村田)
鹿島
藤津郡
神代領
彼杵郡
藩境、領境
郡境
諫早領
高來郡
長崎
佐賀藩
鹿島藩
蓮池藩
小城藩

國家圖書館出版品預行編目(CIP)資料

幕末:日本近代化的黎明前/洪維揚著.--初版.--
新北市:遠足文化,2018.10
ISBN 978-957-8630-75-8(第1冊:平裝)
ISBN 978-957-8630-75-8(第2冊:平裝)
ISBN 978-957-8630-75-8(第3冊:平裝)
ISBN 978-957-8630-78-9(全套:平裝)
1. 江戶時代 2. 明治維新 3. 日本史

731.268　　107015413

大河 32

幕末:日本近代化的黎明前 第一部

作者——洪維揚
執行長——陳蕙慧
總編輯——郭昕詠
行銷總監——李逸文
資深通路行銷——張元慧
編輯——陳柔君、徐昉驊
封面設計——霧　室
排版——簡單瑛設

社長——郭重興
發行人兼
出版總監——曾大福
出版者——遠足文化事業股份有限公司
地址——231 新北市新店區民權路 108-2 號 9 樓
電話——(02)2218-1417
傳真——(02)2218-0727
郵撥帳號——19504465
客服專線——0800-221-029
網址——http://www.bookrep.com.tw
Facebook——日本文化觀察局(https://www.facebook.com/saikounippon/)
法律顧問——華洋法律事務所 蘇文生律師
印製——呈靖彩藝有限公司

初版一刷 2018 年 10 月
Printed in Taiwan